SOPHIE KINSELLA

Göttin in Gummistiefeln

Sophie Kinsella

Göttin in Gummistiefeln

Roman

Aus dem Englischen von
Gertrud Wittich

GOLDMANN

Die Originalausgabe erschien 2005
unter dem Titel »The Undomestic Goddess«
bei Bantam Press, London

FSC

Mix
Produktgruppe aus vorbildlich
bewirtschafteten Wäldern und
anderen kontrollierten Herkünften

Zert.-Nr. SGS-COC-1940
www.fsc.org
© 1996 Forest Stewardship Council

Verlagsgruppe Random House FSC-DEU-0100
Das FSC-zertifizierte Papier *München Super* für Taschenbücher
aus dem Goldmann Verlag liefert Mochenwangen Papier.

1. Auflage
Deutsche Erstausgabe April 2006
Copyright © der Originalausgabe 2005 by Sophie Kinsella
Copyright © der deutschsprachigen Ausgabe 2006
by Wilhelm Goldmann Verlag, München,
in der Verlagsgruppe Random House GmbH
Umschlaggestaltung: Design Team München
unter Verwendung einer Illustration von Natascha Römer
Redaktion: Martina Klüver
AB · Herstellung: Str.
Satz: deutsch-türkischer fotosatz, Berlin
Druck und Bindung: GGP Media GmbH, Pößneck
Printed in Germany
ISBN-10: 3-442-46087-5
ISBN-13: 978-3-442-46087-8

www.goldmann-verlag.de

Für Linda Evans

1

Würden Sie sich als gestresst bezeichnen?

Nein. Ganz sicher nicht.

Ich habe nur … einfach viel zu tun. So ist das nun mal, wenn man einen anspruchsvollen Job hat. Ich bin ehrgeizig/karrierebewusst und habe Spaß an meiner Arbeit.

Na gut, manchmal stehe ich schon ein bisschen unter Druck. Ich bin schließlich Rechtsanwältin in der Londoner City, dem Finanzmekka sozusagen. Haben Sie einen Schimmer, was das heißt?! Nein?

Ich habe so fest aufgedrückt, dass der Stift glatt durchs Papier gegangen ist. Mist. Egal. Auf zur nächsten Frage.

Wie viele Stunden verbringen Sie täglich am Arbeitsplatz?

~~12~~

~~8~~

Kommt drauf an.

Treiben Sie regelmäßig Sport?

~~Ich gehe regelmäßig schwimmen.~~

~~Ich gehe schwimmen, so oft ich kann.~~

Ich habe vor, demnächst mal wieder zum Schwimmen zu gehen. Sobald ich Zeit habe. Ist im Moment viel los in der Kanzlei. Aber nur vorübergehend.

Trinken Sie täglich mindestens 8 Gläser Wasser?

~~Ja.~~

~~Manchma ...~~
Nein.

Ich setze kurz ab und räuspere mich. Maya blickt von ihrer kampfbereit aufgepflanzten Kosmetika-Batterie auf. Maya ist die mir zugeteilte Beauty-Therapeutin. Ihr langes dunkles Haar mit der einzelnen weißen Strähne ist zu einem Zopf geflochten. In einem Nasenflügel blitzt ein dezenter Strassstein.

»Kommen Sie voran? Wenn Sie irgendetwas nicht verstehen, fragen Sie mich nur«, sagt sie mit ihrer angenehmen, leisen Stimme.

»Nun, ich bin *ein wenig* in Eile, das sagte ich ja bereits«, merke ich höflich an. »Muss ich das denn wirklich alles beantworten?«

»Ich fürchte, ja. Diese Fragen dienen dazu, so viel wie möglich über die Gesundheits- und Beauty-Defizite unserer Kundinnen in Erfahrung zu bringen«, erklärt sie, nun mit einem Hauch von Strenge.

Ich werfe einen Blick auf meine Uhr. Schon Viertel vor zehn.

Ich habe einfach keine Zeit für dieses Theater. Ehrlich. Aber es ist nun mal ein Geburtstagsgeschenk und ich hab's Tante Patsy versprochen.

Genauer gesagt, habe ich den Gutschein schon vor einem Jahr, zu meinem letzten Geburtstag, bekommen. Um mich mal so richtig zu entspannen. Mir was zu gönnen. Tante Patsy ist die Schwester meiner Mutter und hat was gegen Karrierefrauen. Immer, wenn ich sie sehe, packt sie mich bei den Schultern und späht mir besorgt ins Gesicht. Auf der beigefügten Karte stand: »Lass dich einfach mal in aller Ruhe verwöhnen, Samantha!!«

Was ich ja auch vorhabe. Bloß, dass im Moment so viel los ist in der Kanzlei. Und irgendwie ist das Jahr verflogen, ohne dass ich auch nur eine Sekunde Zeit gefunden habe. Ich bin

Rechtsanwältin bei Carter Spink, und, wie gesagt, im Moment ist ein bisschen viel los. Nur vorübergehend, natürlich. In ein paar Wochen ist der Spuk vorbei. Bestimmt.

Na jedenfalls, als ich dann vor ein paar Tagen Tante Patsys *diesjährige* Geburtstagskarte erhielt, fiel mir plötzlich siedend heiß ein, dass ich den Gutschein vom letzten Jahr ja noch gar nicht verbraten hatte und dass es höchste Zeit wurde, bevor er verfällt. Und deshalb sitze ich jetzt hier auf dem Sofa. An meinem neunundzwanzigsten Geburtstag. In einem weißen Frotteebademantel und grauslichen Wegwerfslips. Wo ich doch eigentlich in der Kanzlei sein sollte.

Rauchen Sie?
Nein.

Trinken Sie Alkohol?
Ja.

Bereiten Sie sich regelmäßig frische Mahlzeiten zu?
Was soll das schon wieder heißen? Ich blicke auf, ein wenig unsicher. Wozu sollte ich mir selbst was kochen?
Ich ernähre mich gesund und ausgewogen, schreibe ich schließlich hin.
Was die absolute Wahrheit ist.
Weiß doch jeder, dass die Chinesen länger leben – was könnte also gesünder sein, als sich regelmäßig was vom Take-Away zu holen? Und Pizza, das ist was Mediterranes. Ist wahrscheinlich sogar *noch* gesünder als Selbstgekochtes.

Haben Sie das Gefühl, ein ausgeglichenes Leben zu führen?
~~Klar.~~
~~N~~
Ja.

9

»Fertig«, verkünde ich und reiche den Fragebogen an Maya weiter, die sich sofort darin vertieft. Ihr Finger kriecht im Schneckentempo übers Papier. Als ob wir alle Zeit der Welt hätten.

Sie vielleicht. Ich nicht. Ich muss bis eins im Büro sein. Allerspätestens.

»Ich habe Ihre Antworten gründlich studiert«, Maya mustert mich bedenklich, »und bin zu dem Schluss gekommen, dass Sie offenbar eine außerordentlich gestresste Person sind.«

Was? Wie bitte? Wo hat sie das denn her? Ich habe doch draufgeschrieben, dass ich *nicht* gestresst bin.

»Nein, das bin ich nicht.« Ich zaubere ein Da-siehst-du-mal-wie-entspannt-ich-bin-Lächeln auf mein Gesicht.

Maya wirkt nicht gerade überzeugt. »Sie haben offenbar einen recht stressigen Beruf.«

»Ich liebe Stress«, versuche ich zu erklären. Stimmt ja auch. Das weiß ich schon, seit …

Ja, seit es meine Mutter zu mir gesagt hat, ich war etwa acht. *Du liebst Stress, Samantha.* Wir alle tun das. Es ist unser Familienmotto. Oder so ähnlich.

Abgesehen von meinem Bruder Peter, natürlich. Der hatte einen Nervenzusammenbruch. Aber wir übrigen lassen uns nicht so schnell kleinkriegen.

Ich liebe meinen Beruf. Ich liebe es, die Lücken in einem Vertragstext ausfindig zu machen. Ich liebe den Adrenalinrausch, wenn es zum Abschluss kommt. Ich liebe die Verhandlungen, das Ringen mit dem Gegner, äh, Klienten. Ich liebe es, die andere Seite mit dem besten Argument niederzuschmettern.

Nun ja, gelegentlich habe ich schon das Gefühl, als würde mir jemand eine gewaltige Last auf die Schultern laden – die ich dann schleppen muss, egal wie erschöpft ich bin …

Aber so geht's doch jedem. Ist doch ganz normal.

»Ihre Haut ist total dehydriert.« Maya schüttelt den Kopf. Fachmännisch streichen ihre Finger über meine Wange, heben mein Kinn. »Ihr Puls ist sehr hoch. Das ist besorgniserregend. Stehen Sie im Moment unter starker Anspannung?«

»Es ist zur Zeit viel los in der Kanzlei.« Ich zucke die Achseln. »Nur vorübergehend, natürlich. Mir geht's gut.« *Könnten wir jetzt mal zu Potte kommen?*

»Wie Sie wollen.« Maya steht auf und drückt auf einen Wandschalter. Plötzlich ertönt dezente Panflötenmusik. »Ich kann nur sagen, bei uns sind Sie gut aufgehoben, Samantha. Bei uns werden Sie Ihren Stress los, bei uns können Sie mal so richtig entspannen. Bei uns werden Sie revitalisiert und gründlich entgiftet.«

»Wie nett«, murmle ich. Ich habe kaum zugehört, weil mir plötzlich eingefallen ist, dass ich ja vergessen habe, mich bei David Elldridge wegen des ukrainischen Öl-Deals zu melden. Ich wollte ihn doch gestern anrufen. Verdammter Mist!

»Wir vom *Green Tree Center* bieten dem gestressten Menschen von heute einen Hort der Ruhe, eine Zuflucht vor dem Lärm und der Hektik des Alltags, den täglichen Sorgen des Lebens«, leiert Maya mit Singsangstimme. Sie drückt auf einen anderen Schalter und plötzlich herrscht stimmungsvolles Schummerlicht. »Aber bevor wir anfangen«, säuselt sie, »haben Sie noch irgendwelche Fragen?«

»Ach ja, schon.« Eifrig beuge ich mich vor.

Maya strahlt. »Schön! Wollen Sie vielleicht mehr über die heutige Behandlung erfahren oder ist Ihre Frage eher allgemeiner Natur?«

»Dürfte ich vielleicht schnell eine E-Mail schicken?«

Mayas Lächeln gefriert zu Eis.

»Nur ganz schnell«, versichere ich hastig. »Dauert keine zwei Sekündchen –«

»Samantha, Samantha …« Maya schüttelt den Kopf. »Sie

11

sind hier, um sich zu entspannen. Um sich mal Zeit für sich selbst zu nehmen. Nicht um E-Mails zu verschicken. Das ist eine Sucht! Eine Pest! So schlimm wie Alkohol. Oder Koffein.«

Um Himmels willen, ich bin doch nicht *süchtig*. Einfach lächerlich. Ich meine, ich checke meine E-Mails doch nur … alle dreißig Sekunden. In etwa.

Es ist doch so: In dreißig Sekunden kann eine Menge passieren.

»Im Übrigen, Samantha«, fährt Maya fort, »sehen Sie hier irgendwo einen Computer?«

»Nein.« Gehorsam blicke ich mich in dem schummrigen Kabäuschen um.

»Deshalb verlangen wir ja von unseren Gästen, sämtliche elektronischen Geräte in einem der Schließfächer zu lassen. Handys verboten. Taschencomputer verboten.« Maya breitet die Arme aus. »Das hier ist ein Hort der Ruhe, der Erholung. Eine Zuflucht vor der Hektik der modernen Welt.«

»Schon kapiert.« Ich nicke demütig.

Jetzt ist wahrscheinlich nicht der beste Zeitpunkt, ihr zu verraten, dass ich einen BlackBerry im Papierhöschen eingeschmuggelt habe.

»Also, dann wollen wir mal.« Maya lächelt wieder. »Legen Sie sich hier hin und decken Sie sich mit einem Handtuch zu. Und bitte nehmen Sie Ihre Uhr ab.«

»Was, meine Uhr?!«

»Noch so eine Sucht.« Sie schnalzt missbilligend mit der Zunge. »So lange Sie hier sind, steht die Zeit für Sie still.«

Von wegen. Da mir jedoch nichts anderes übrig bleibt und sie mir bereits auffordernd den Rücken zukehrt, mache ich schließlich widerwillig meine Armbanduhr ab. Dann lasse ich mich umständlich auf der Liege nieder und breite das Handtuch über mir aus. Schließlich will ich meinen kostbaren Black-Berry nicht zerquetschen.

Ich habe das mit dem elektronischen Equipment natürlich gelesen. Und mein Diktaphon habe ich ja auch brav abgegeben. Aber drei Stunden ohne meinen BlackBerry? Ich meine, wenn jetzt was in der Kanzlei sein sollte? Ein Notfall? Was Brandeiliges?

Und diese Vorschrift ist sowieso unsinnig. Wie soll man sich ohne Handy & Co. eigentlich entspannen? Wenn die wirklich wollen, dass man sich erholt, dann sollten sie einem die Sachen lieber lassen als sie zu konfiszieren.

Außerdem – ich habe ihn ja gut versteckt. Da findet sie ihn nie.

»Ich beginne jetzt mit einer entspannenden Fußmassage«, verkündet Maya bedeutungsvoll und schmiert meine Füße mit irgendwas ein. »Versuchen Sie Ihren Geist zu leeren.«

Leeren. Meinen Geist. Gehorsam blicke ich zur Decke. Mein Geist ist so leer wie, wie … ein leerer Geist.

Was wird jetzt mit Elldridge? Ich hätte mich bei ihm melden müssen. Sicher wartet er schon auf meinen Anruf. Wenn er sich jetzt bei den Seniorpartnern beschwert? Das könnte meine Chancen, selbst Seniorpartnerin zu werden, gefährden.

Panik durchzuckt mich. Gerade jetzt heißt es aufpassen. Nichts dem Zufall überlassen.

»Machen Sie sich von allen Gedanken frei …«, säuselt Maya. »Fühlen Sie, wie Ihre Anspannung aaabklingt …«

Vielleicht könnte ich ihm ja rasch eine E-Mail schicken. Unterm Handtuch.

Verstohlen taste ich nach meinem BlackBerry. Millimeterweise ziehe ich ihn aus dem Slip, sorgfältig darauf bedacht, ein Rascheln des Papierstoffs zu vermeiden. Maya massiert derweil hingebungsvoll meine Füße.

»Ihr Körper wird gaaanz schwer … Ihr Kopf wird leeeer …«

Schwitzend ziehe ich den Taschencomputer so weit hoch, dass ich gerade eben einen Blick auf den Bildschirm erhaschen kann. Gott sei Dank ist es hier so schummrig. Vorsichtig tippe ich einhändig eine Nachricht ein.

»Entspaaaannen«, intoniert Maya in beruhigendem Ton. »Stellen Sie sich vor, Sie wandern am Strand entlang … die Sonne scheint …«

»Mhm«, murmle ich zerstreut.

»*David*«, tippe ich, »*Betr. ZFN Öl-Kontrakt. Habe Ergänzungen gelesen. Finde, wir sollten*

»Was tun Sie da?«, fragt Maya alarmiert.

»Nichts!« Hastig schiebe ich den BlackBerry wieder unters Handtuch. »Bloß … äh … relaxen.«

Maya geht um die Liege herum und blickt auf den Huckel im Handtuch, wo ich meinen BlackBerry umklammere.

»Sie haben da doch nicht etwa was versteckt?«, fragt sie ungläubig.

»Nein!«

In diesem Moment stößt der mistige Taschencomputer ein Piepsen aus. Scheiße.

»Blöde Zentralverriegelungen«, sage ich möglichst lässig. »Man hört sie bis hier herauf.«

Mayas Augen verengen sich zu Schlitzen. »Samantha«, sagt sie drohend, »Sie haben da doch nicht etwa ein elektronisches Gerät unterm Handtuch versteckt?«

Ich könnte lügen. Aber dann würde sie mir wahrscheinlich das Handtuch runterreißen.

»Ich wollte bloß eine klitzekleine E-Mail …« Zerknirscht hole ich meinen BlackBerry hervor.

»Ihr unverbesserlichen Workaholics!« Entnervt nimmt sie mir mein kleines Spielzeug weg. »E-Mails können *warten. Alles* kann warten. Sie wissen einfach nicht, wie man mal abschaltet.«

»Ich bin kein Workaholic!«, widerspreche ich empört. »Ich bin Rechtsanwältin! Das ist was anderes!«

»Sie wollen's einfach nicht wahrhaben.« Mitleidiges Kopf-schütteln.

»Doch! Ich meine, nein! Hören Sie, wir stehen kurz vor ein paar Mega-Abschlüssen! Ich kann jetzt nicht einfach abschal-ten! Jetzt nicht. Ich … na ja, ich kann vielleicht Seniorpartne-rin in der Kanzlei werden. Sie wissen schon.«

Jetzt, wo ich es laut ausspreche, verspüre ich wieder dieses Zucken, das immer durch meine Nerven geht, wenn ich nur daran denke. Seniorpartner in einer der bedeutendsten An-waltsfirmen des Landes. Mein ganz großer Traum. Das, was ich immer wollte, was ich mir immer gewünscht habe.

»Morgen fällt die Entscheidung«, fahre ich in ruhigerem Ton fort. »Wenn es klappt, werde ich die jüngste Seniorpartne-rin in der Geschichte sein. Begreifen Sie, was das heißt? Haben Sie auch nur eine Ahnung –«

»Jeder kann sich ein paar Stunden freinehmen«, unterbricht mich Maya. Sie legt mir die Hände auf die Schultern. »Saman-tha, Sie sind fürchterlich nervös. Angespannt bis in die Haar-spitzen. Kurz vor dem Nervenzusammenbruch …«

»Mir fehlt nichts.«

»Sie sind das reinste Nervenbündel!«

»Bin ich nicht!«

»Sie müssen einen Gang zurückschalten, Samantha.« Sie mustert mich eindringlich. »Aber Sie müssen das selbst wollen. Es liegt an Ihnen. Nur Sie können beschließen, Ihr Leben zu ändern. Sind Sie dazu bereit?«

»Äh … na ja …«

Ich stoße ein überraschtes Quieken aus. In meinem Weg-werfhöschen zuckt was.

Mein Handy. Ich hab's zusammen mit dem BlackBerry rein-geschoben und zuvor auf »vibrieren« gestellt, damit man nichts hört, falls es klingelt.

»Was ist das?!« Maya starrt mit herunterhängendem Unterkiefer auf mein zuckendes Handtuch. »Was … was um Himmels willen … *zuckt* denn da?«

Ich kann *unmöglich* sagen, dass es mein Handy ist. Nicht nach dem BlackBerry.

»Ähm …« Ich räuspere mich. »Das ist mein … äh … Vibrator …«

»Ihr was?!« Maya wirkt eine Winzigkeit entsetzt.

Das blöde Handy vibriert erneut. Ich muss rangehen. Es könnte ja die Kanzlei sein.

»Äh … wissen Sie, ich erreiche da gleich einen, äh, ziemlich intimen Moment.« Ich versuche mich an einem vielsagenden Zwinkern, was bei mir immer so aussieht, als wäre mir gerade was ins Auge geflogen. »Vielleicht könnten Sie ja kurz rausgehen?«

Maya fällt nicht auf mein Ablenkungsmanöver herein.

»Einen Moment mal!« Ein misstrauischer Blick auf den zuckenden Huckel im Handtuch. »Sie haben da doch nicht etwa ein Handy drunter? Sie haben das Handy *auch* noch mit eingeschmuggelt?«

O Gott. Jetzt explodiert sie gleich.

»Hören Sie«, versuche ich hastig die sich auftürmende Killerwelle zu glätten, »ich weiß ja, Sie haben Ihre Regeln und so – das sehe ich völlig ein! –, aber verstehen Sie doch bitte, ich *brauche* mein Handy.« Ich stecke die Hand unters Handtuch, um besagtes Kleingerät herauszuholen.

»Fassen Sie das nicht an!«, kreischt Maya. Ich zucke erschrocken zurück. »Samantha«, sagt sie, mit herkulischer Anstrengung um Geduld ringend, »wenn Sie auch nur ein Wort von dem, was ich gesagt habe, mitbekommen haben, dann schalten Sie das Ding jetzt sofort ab.«

Das Handy vibriert in meiner Hand. Ich werfe einen Blick auf die Caller-ID und mein Magen krampft sich zusammen. »Es ist die Kanzlei.«

»Die können Ihnen eine Nachricht hinterlassen. Das kann warten.«

»Aber –«

»Das hier ist *Ihre* Zeit.« Sie beugt sich vor und nimmt mich bei beiden Händen. »*Ihre Zeit.*«

Herrgott, sie kapiert's einfach nicht. Ich weiß nicht, ob ich lachen oder weinen soll.

»Ich bin bei Carter Spink«, versuche ich ihr zu erklären. »*Carter Spink.* Die bekannte Anwaltskanzlei?! Ich *habe* keine Zeit. Meine Zeit gehört der Firma.« Ich klappe das Handy auf und sofort durchbricht eine zornige Männerstimme den Frieden unserer schummrigen Beauty-Klause.

»Samantha, wo zum Teufel stecken Sie?«

Wieder krampft sich mein Magen zusammen. Es ist Ketterman. Der Boss. Er hat sicher einen Vornamen, aber gehört habe ich ihn noch nie. Er wird von allen nur mit Ketterman angesprochen. Er hat schwarze Haare, eine Stahlrandbrille und stechende graue Augen. In meiner Anfangszeit bei Carter Spink habe ich nur seinetwegen nachts Alpträume gehabt.

»Der Fallons-Deal ist wieder aus der Schublade. Sehen Sie zu, dass Sie schleunigst in die Kanzlei kommen. Meeting um halb elf.«

Wieder aus der Schublade?

»Komme sofort.« Ich klappe das Handy zu und lächle Maya zerknirscht an. »Sorry.«

Ich schaue *wirklich nicht* jede Sekunde auf meine Uhr.

Obwohl ich zugegebenermaßen ohne sie ziemlich aufgeschmissen wäre. Das wären Sie auch, wenn man Ihre Zeit in Sechs-Minuten-Segmenten messen würde. Mein Büroalltag ist in Zeitspannen von sechs Minuten unterteilt. Alle sechs Minuten klingelt die Kasse. Oder sollte sie klingeln. Läuft alles über computerisierte Formulare:

11:00–11:06: Vertragsentwurf für Projekt A
11:06–11:12: Überarbeitung der Akte für Klient B
11:12–11:18: Rücksprache bezüglich Vertrag C

Als ich bei Carter Spink anfing, fand ich den Gedanken, über alles, was ich in jeder Minute meines Bürotages tue, Rechenschaft ablegen zu müssen, gelinde gesagt, erschreckend. Ich dachte immer: Und wenn ich jetzt mal sechs Minuten lang nichts tue? Was soll ich dann aufschreiben?

11:00–11:06: Gelangweilt aus dem Fenster geschaut
11:06–11:12: Davon geträumt, wie ich bei Harrods
George Clooney begegne
11:12–11:18: Versucht, Nasenspitze mit Zunge zu berühren

Aber die Wahrheit ist, man gewöhnt sich dran. Man gewöhnt sich dran, sein Leben in kleine Zeiteinheiten zu zerhacken. Und man gewöhnt sich daran, zu arbeiten. Immerzu, jede Minute des Tages.

Bei Carter Spink wird nicht Däumchen gedreht. Da wird nicht aus dem Fenster geschaut oder sich Tagträumen hingegeben. Nicht, wenn sechs Minuten deiner Zeit so viel wert sind. Sie müssen es so sehen: Wenn ich sechs Minuten einfach so verstreichen ließe, würde das die Firma glatte fünfzig Pfund kosten. Zwölf Minuten: hundert Pfund. Achtzehn Minuten: hundertfünfzig.

Wie gesagt, bei Carter Spink wird nicht Däumchen gedreht.

2

Als ich schnaufend in mein Büro platze, erwartet mich Ketterman bereits wie ein aufziehendes Unwetter. Sein Blick ist mit einem Ausdruck des Missfallens, ja Ekels auf das Chaos auf und um meinen Schreibtisch herum gerichtet.

Es ist schon wahr, mein Arbeitsplatz ist nicht gerade der Allerordentlichste. Tatsächlich … ist es der reinste Saustall. Aber ich habe ganz fest vor, mal gründlich aufzuräumen! Sobald ich Zeit habe. Einschließlich der wackeligen, staubigen alten Aktenstapel, die meinen Schreibtisch umschließen, wie ein Ring Felsbrocken ein zugewachsenes Eiland.

»Meeting in zehn Minuten«, verkündet er mit Blick auf seine Uhr. »Überprüfen Sie vorher bitte noch einmal den Finanzierungsentwurf.«

»Selbstverständlich«, antworte ich, um Gelassenheit bemüht. Nicht einfach bei einem Menschen, der einen derartig einschüchtert wie Ketterman.

Und das ist noch eine seiner liebenswerten Seiten. Der Mann verströmt eine furchteinflößende, messerscharfe Geisteskraft, wie andere Männer ihr Aftershave. Aber heute ist es noch tausendmal schlimmer, denn Ketterman gehört zum dreizehnköpfigen Gremium von Seniorpartnern, das darüber entscheidet, wer als neuer Seniorpartner in ihren erlauchten Kreis aufgenommen wird. Ein Meeting, das morgen stattfindet.

Ja, morgen werde ich erfahren, ob ich es geschafft habe oder ob ich mein Leben als einen Riesenreinfall verbuchen muss.

Ob ich unter Druck stehe? *Ob ich unter Druck stehe?!*

»Der Entwurf ist … hab ihn gleich …« Ich greife in einen Aktenstapel und ziehe etwas, das sich wie ein Ordner anfühlt, heraus und präsentiere ihn mit einer schwungvoll-triumphierenden Geste.

Es ist eine Schachtel mit alten Donuts.

Hastig stopfe ich sie in den Papierkorb. »Er ist hier irgendwo … ganz bestimmt …« Panisch wühle ich in meinem Saustall. Gott sei's gedankt: »Da ist er!«

»Ich weiß wirklich nicht, wie Sie in dieser Unordnung vernünftig arbeiten können, Samantha.« Kettermans Stimme ist dünn und sarkastisch, sein Gesicht vollkommen humorlos.

»Na wenigstens habe ich immer alles zur Hand!«, versuche ich mit einem kleinen Lachen zu scherzen, doch Kettermans Miene bleibt ungerührt. Nervös ziehe ich meinen Stuhl zurück und prompt rutscht ein Stapel Briefe, den ich völlig vergessen hatte, in einem Schwall von der Sitzfläche.

»Wissen Sie, dass es früher Vorschrift war, den Schreibtisch jeden Abend aufzuräumen?« Kettermans Ton ist stählern. »Vielleicht sollten wir diese Regel wieder einführen.«

»Ja, vielleicht!«, stammle ich mit einem panischen Lächeln. Der Mann macht mich immer nervöser.

»Samantha!«, dröhnt in diesem Moment eine joviale Stimme an mein verschrecktes Ohr. Ich drehe mich um und sehe Arnold Saville durch den Korridor auf uns zukommen.

Arnold ist mir der liebste von allen Seniorpartnern. Er hat eine buschige graue Löwenmähne, die immer ein bisschen so aussieht, als würde sie besser zu einem Dirigenten oder Einsteinverschnitt passen als zu einem Anwalt. Außerdem hat er einen recht eigenwilligen Geschmack, was seine Krawatten betrifft. Heute zum Beispiel trägt er eine knallrote Paisleykreation mit dazu passendem Tüchlein in der Brusttasche des Sakkos. Er begrüßt mich mit einem breiten Grinsen, und ich kann nicht anders, als erleichtert zurückzugrinsen. Sofort werde ich wieder ein wenig ruhiger.

Ich bin mir ganz sicher, dass Arnold sich bei der Versammlung für mich einsetzen wird. Ebenso sicher bin ich, dass Ketterman gegen mich votieren wird. Arnold ist der Freigeist unter den Seniorpartnern, er setzt sich auch einmal über die Regeln hinweg, kümmert sich nicht um Nebensächlichkeiten wie einen versauten Schreibtisch.

»Belobigungsschreiben, beste Samantha!«, verkündet er strahlend und wedelt dabei mit einem Zettel. »Von keinen Geringeren als den *Gleiman Brothers*, stellen Sie sich vor.«

Ich nehme ihm den Zettel ab und überfliege ihn überrascht. »... *sehr zu schätzen ... stets überaus professionell ...*«

»Sie haben denen wohl ein paar Milliönchen eingespart, mit denen sie gar nicht mehr gerechnet hätten.« Arnold zwinkert mir zu. »Die sind richtig entzückt.«

»Äh, ja.« Ich erröte ein wenig. »Na ja, das war doch nicht der Rede wert. Mir ist einfach nur eine kleine Schwachstelle aufgefallen.«

»Nun, Sie haben offenbar mächtigen Eindruck gemacht.« Arnold wackelt mit seinen buschigen Augenbrauen. »Die möchten von jetzt an ausschließlich mit Ihnen zusammenarbeiten. Ausgezeichnet, Samantha! Wirklich gut gemacht.«

»Äh ... danke.« Ich werfe einen schüchternen Blick auf Ketterman, nur um zu sehen, ob möglicherweise die abwegige Chance besteht, dass er beeindruckt ist. Seine Miene ist unverändert missbilligend.

»Ich würde Sie außerdem bitten, das hier für mich zu erledigen.« Ketterman klatscht einen fetten Papierstapel auf die einzige Stelle auf meinem Schreibtisch, die noch frei ist. »Ich brauche die Risikoanalyse in achtundvierzig Stunden.«

Auch das noch. Mir wird ganz übel, wenn ich den dicken Ordner nur anschaue. Dafür werde ich Stunden brauchen.

Ketterman schiebt mir immer die Drecksarbeit zu, für die er sich zu schade ist. Und nicht nur er. Sogar Arnold tut das. Und oft sagen sie einem nicht mal Bescheid, klatschen einfach einen Stapel auf den Schreibtisch, dazu irgendein unleserliches Memo. Und ich soll den Mist dann machen.

»Das geht doch in Ordnung, oder?« Seine Augen verengen sich.

»Klar, klar. Kein Problem«, sage ich mit munterer Ich-eigne-mich-zur-neuen-Seniorpartnerin-Stimme. »Bis gleich, dann.«

Während er abrauscht, werfe ich einen Blick auf meine Uhr. Zehn Uhr zweiundzwanzig. Mir bleiben noch exakt acht Minuten, um den Fallons-Vertragsentwurf auf eventuelle Lücken oder Fehler zu überprüfen. Ich schlage die Akte auf und überfliege sie in Rekordgeschwindigkeit. Seit ich bei Carter Spink angefangen habe, hat sich meine Lesegeschwindigkeit mehr als verdoppelt.

Tatsächlich lese ich jetzt nicht nur schneller. Ich gehe schneller, rede schneller, esse schneller … habe schnelleren Sex …

Nicht, dass ich davon in letzter Zeit allzu viel gehabt hätte. Aber vor ein, zwei Jahren war ich einige Zeit mit einem Seniorpartner von Berry Forbes zusammen. Er hieß Jacob und hatte mit den ganz großen, internationalen Deals zu tun, was unterm Strich hieß, dass er noch weniger Zeit hatte als ich. Am Ende haben wir unsere Routine zu solchem Feinschliff gebracht, dass wir in exakt sechs Minuten fertig waren, was ganz praktisch gewesen wäre, wenn wir uns den Sex gegenseitig in Rechnung gestellt hätten (was wir natürlich nicht haben!). Er brachte mich zum Orgasmus, dann brachte ich ihn zum Orgasmus – und dann haben wir unsere E-Mails gecheckt.

Wir sind also praktisch gleichzeitig zum Höhepunkt gekommen. So gut wie. Da behaupte mal einer, dass das kein guter Sex war. Ich lese die *Cosmo*, ich weiß Bescheid.

Na jedenfalls hat Jacob dann ein unheimlich gutes Angebot aus den USA bekommen und ist nach Boston gezogen. Tja, und das war's dann mit uns. Nicht, dass es mir allzu viel ausgemacht hätte.

Um ganz ehrlich zu sein, ich mochte ihn nicht mal besonders.

»Samantha?«, reißt mich eine Stimme aus meinen Gedanken. Es ist meine Sekretärin, Maggie. Ich habe sie erst seit ein paar Wochen, daher kenne ich sie noch nicht so gut. »Eine Joanne hat angerufen, während Sie außer Haus waren.«

»Joanne von Clifford Chance?« Interessiert blicke ich auf. »Gut. Richten Sie ihr bitte aus, ich hätte ihre E-Mail zu Klausel vier erhalten und werde mich nach der Mittagspause –«

»Nicht diese Joanne«, unterbricht mich Maggie. »Joanne, Ihre neue Putzfrau. Sie möchte wissen, wo Ihre Staubsaugerbeutel sind.«

Ich verstehe nicht ganz. »Meine was?«

»Ihre Staubsaugerbeutel«, wiederholt Maggie geduldig. »Sie kann sie nicht finden.«

»Warum will sie den Staubsauger in einen Beutel tun?«, frage ich perplex. »Will sie ihn irgendwohin mitnehmen?«

Maggie schaut mich an, als wäre sie nicht sicher, ob ich Witze mache.

»Die Beutel, die man *in* den Staubsauger tut«, erklärt sie mir wie einer leicht Debilen. »Die den Staub aufnehmen? Wo haben Sie die?«

»Ach so, die!«, sage ich, als ob mir gerade ein Licht aufgegangen wäre. »*Die* Beutel! Äh …«

Ich ziehe die Stirn in nachdenkliche Falten, als läge mir die Antwort auf der Zunge. In Wahrheit weiß ich nicht einmal, wie mein Staubsauger überhaupt aussieht. Habe ich ihn eigentlich je in die Hand genommen? Ich weiß, dass er mir geliefert wurde, mehr aber auch nicht.

»Vielleicht ist es ja ein Dyson«, überlegt Maggie. »Die brauchen keine Beutel. Ist es ein Handstaubsauger oder ein Bodenstaubsauger?« Sie schaut mich erwartungsvoll an.

Hand? Boden? Man saugt doch den Boden, oder? Und hält den Staubsauger in der Hand? Da ich mich nicht (noch mehr) blamieren will, mache ich auf cool und kompetent.

»Ich kümmere mich darum«, sage ich in energischem Ton und verrücke geschäftig ein paar Aktenstapel. »Danke, Maggie.«

»Sie hat noch eine Frage.« Maggie wirft einen Blick auf ihren Zettel, um ihr Gedächtnis aufzufrischen. »Wie schaltet man Ihren Herd an?«

Ich tue sekundenlang so, als wäre ich ganz ins Aktenrücken vertieft. Natürlich weiß ich, wie man meinen Herd anschaltet.

»Na ja, man dreht natürlich am … äh … Schalter. Ist doch ganz einfach, oder …?«

»Sie sagte, er hätte so eine Art Timer-Verriegelung.« Maggie wirft die Stirn in grüblerische Falten. »Ist es ein Gas- oder ein Elektroherd?«

Ich glaube, ich sollte dieses Gespräch besser so schnell wie möglich beenden.

»Maggie, ich muss jetzt wirklich dringend einen Anruf erledigen«, erkläre ich bedauernd und wedle mit der Hand in Richtung Telefon.

»Was soll ich Ihrer Putzfrau also sagen?«, beharrt Maggie. »Sie wartet auf meinen Rückruf.«

»Sagen Sie ihr … sagen Sie ihr, sie soll es für heute gut sein lassen. Ich kümmere mich darum.«

Kaum, dass Maggie verschwunden ist, schnappe ich mir Stift und Memoblock.

1. Wie schaltet man den Herd an?
2. Staubsaugerbeutel – kaufen.

Ich lege den Stift weg und massiere mir die Stirn. Ich kann mich wirklich nicht auch noch damit befassen. Staubsaugerbeutel, also wirklich. Ich weiß ja nicht mal, wie die Dinger aussehen, geschweige denn, wo man die herkriegt –

Ich habe einen jähen Geistesblitz. Ich werde einfach einen

neuen Staubsauger bestellen. Die kommen doch sicher mit Beutel, oder?

»Samantha.«

»Was? Was ist?« Erschrocken reiße ich die Augen auf. In meiner Tür steht Guy Ashby.

Guy ist mir von allen Kollegen der Liebste. Er ist eins neunzig, dunkler Teint, schwarze Augen und immer wie aus dem Ei gepellt. Mit einem Wort, ein Bild von einem Anwalt. Aber an diesem Morgen sind seine schwarzen Haare zerzaust, und er hat Ringe unter den Augen.

»Nur die Ruhe«, lächelt Guy, »ich bin's nur. Was ist, kommst du auch zum Meeting?«

Er hat das umwerfendste Lächeln. Ehrlich. Das sage nicht nur ich, das findet jeder in der Kanzlei.

»Äh … ja. Ja, natürlich.« Ich sammle fahrig die nötigen Papiere zusammen und sage wie beiläufig: »Geht's dir gut, Guy? Du siehst irgendwie mitgenommen aus.«

Er hat mit seiner Freundin Schluss gemacht. Sie haben die ganze Nacht lang gestritten und jetzt hat sie ihn endgültig verlassen …

Nein, sie ist nach Neuseeland ausgewandert …

»Hab die ganze Nacht durchgearbeitet«, sagt er und verzieht das Gesicht. »Scheiß Ketterman. Der Mann ist der reinste Cyborg.« Er gähnt aus Leibeskräften. Ich kann sein makelloses, strahlend weißes Gebiss bewundern, das er sich vor seinem Harvard-Abschluss hat richten lassen.

Er sagt, es sei nicht seine Entscheidung gewesen. Offenbar lassen sie keinen zur Prüfung zu, der nicht das Okay vom Schönheitschirurgen bekommen hat.

»Du Armer.« Ich grinse mitfühlend und schiebe dann meinen Stuhl zurück. »Komm, lass uns gehen.«

Ich kenne Guy seit einem Jahr, seit er in unsere Abteilung kam. Er ist intelligent und humorvoll und hat dieselbe Arbeitsweise wie ich. Wir … na ja, wir sind einfach auf derselben Wellenlänge.

Und ja, es hätte sich was zwischen uns entwickeln können, wenn die Dinge anders gelaufen wären. Aber da gab es dieses unglückselige Missverständnis und …

Was soll's. Es sollte eben nicht sein. Einzelheiten sind unwichtig. Ich denke gar nicht mehr dran. Wir sind gute Freunde – und das ist am besten so.

Also gut, Folgendes ist passiert:

Es scheint, als hätte Guy anfangs ebenso ein Auge auf mich geworfen wie ich auf ihn. Ja, er wollte definitiv was von mir. Sonst hätte er mich nicht gefragt, ob ich mit jemandem zusammen wäre. Was ich nicht war.

Ich hatte mich kurz davor von Jacob getrennt. Es wäre einfach ideal gewesen.

Ich versuche, möglichst gar nicht dran zu denken, *wie* ideal es gewesen wäre.

Aber Nigel MacDermot, dieser gedankenlose, hirnverbrannte, hoffnungslos konservative Blödmann hat Guy gesagt, ich wäre mit einem Seniorpartner von Berry Forbes zusammen.

Obwohl es längst aus war.

Wenn Sie mich fragen, ich finde, das ganze System krankt. Man bräuchte wirklich mehr Klarheit. Es sollte so was wie Schildchen geben, mit denen die Leute rumlaufen, wie bei Toiletten: besetzt, frei. Dann gäbe es nicht diese blöden Missverständnisse.

Na jedenfalls, bei mir war leider kein Schildchen dran. Und falls doch, dann das falsche. Die nächsten ein, zwei Wochen waren ziemlich peinlich. Ich habe Guy ständig angelächelt, ihm wurde zunehmend unbehaglicher und er fing an, mir aus dem Weg zu gehen, weil er a) keine Beziehung zerstören wollte und b) keine Lust auf einen flotten Dreier mit Jacob und mir hatte.

Ich stand da wie der Ochs vorm Berg und habe es schließlich aufgegeben. Dann kam mir gerüchteweise zu Ohren, dass er sich seit einiger Zeit mit einer gewissen Charlotte trifft, die er auf irgendeiner Wochenendparty kennen gelernt hat. Ein, zwei Monate später mussten wir zusammen an einem Fall arbeiten und wurden Freunde – was wir immer noch sind.

Tja, das wär's so weit.

Und ich meine, es ist schon in Ordnung. Wie das Leben eben so spielt. Manche Dinge klappen – andere nicht. Dies hier sollte eben einfach nicht sein.

Bloß, dass ich, tief im Herzen, das Gefühl habe … dass es eben doch hätte sein sollen.

»Also«, sagt Guy, während wir durch den Flur zum Konferenzzimmer gehen. »Partner.« Er zwinkert mir zu.

»Sag so was nicht!«, zische ich entsetzt. Er wird es noch verschreien.

»Jetzt komm schon. Du hast es geschafft, das musst du doch wissen.«

»Ich weiß gar nichts.«

»Samantha, du bist die Beste deines Jahrgangs. Und du arbeitest am härtesten. Wie hoch ist dein IQ noch mal? 600?«

»Klappe.« Ich starre auf den pastellblauen Teppich, und Guy lacht.

»Was ist 124 mal 75?«

»Neuntausenddreihundert«, knurre ich.

Das ist das Einzige, was mir bei Guy wirklich auf den Wecker geht. Ich kann nämlich – so etwa seit meinem zehnten Lebensjahr – große Summen im Kopf ausrechnen. Ich weiß nicht, warum, es ist einfach so. Und alle anderen sagen »schön« und belassen es dabei.

Nur Guy kann einfach nicht aufhören. Dauernd wirft er mir irgendwelche Zahlen an den Kopf, als wäre ich eine Zirkusattraktion. Ich weiß, er findet das lustig – aber mir geht es ziemlich auf die Nerven.

Einmal habe ich ihm absichtlich ein falsches Ergebnis genannt. Doch dann hat sich rausgestellt, dass er die Zahl für einen Vertrag brauchte, an dem er arbeitete. Der Deal wäre deswegen beinahe geplatzt. Seitdem hüte ich mich, falsche Auskünfte zu geben.

»Hast du schon für dein Foto vor dem Spiegel geübt?« Er meint das Foto für die Website der Firma. Guy legt einen Finger ans Kinn und zieht eine übertrieben nachdenkliche Miene. »Ms. Samantha Sweeting, Seniorpartnerin.«

»Auf den Gedanken bin ich noch gar nicht gekommen.« Ich verdrehe die Augen über so viel Albernheit.

Obwohl es eine klitzekleine Lüge ist. Ich habe mir natürlich bereits Gedanken über mein Outfit gemacht. Wie ich meine Haare tragen könnte. Und welches meiner schwarzen Kostüme passen würde. Eins steht aber schon fest: Diesmal werde ich ganz breit lächeln. Auf der jetzigen Carter-Spink-Website sehe ich nämlich viel zu ernst aus.

»Ich hab gehört, deine Präsentation neulich hat sie umgehauen«, sagt Guy.

Das hebt schlagartig meine Laune. »Wirklich?« Ich versuche, nicht zu eifrig zu klingen. »Das hast du gehört?«

»Und dass du's William Griffith vor allen gezeigt hast.« Guy verschränkt die Arme und mustert mich belustigt. »Machst du eigentlich überhaupt mal einen Fehler, Samantha Sweeting?«

»Ach komm, ich mache ständig Fehler«, sage ich leichthin.

Wie zum Beispiel den, dich nicht gleich am ersten Tag zu schnappen, Single hin oder her.

»Ein Fehler ist erst dann ein Fehler, wenn er sich nicht mehr wieder gutmachen lässt.« Guys Augen scheinen sich bei diesen Worten förmlich in die meinen zu bohren.

Aber vielleicht guckt er ja auch nur so, weil er übernächtigt ist. Ich war noch nie gut, wenn es darum ging, irgendwelche Zeichen zu deuten.

Das hätte ich studieren sollen, anstatt die Juristerei. Damit hätte ich wirklich was anfangen können. Einen Magister in »Wissen, wann Männer auf dich stehen und wann sie bloß gute Freunde sein wollen«.

»Alles bereit?« Kettermans schneidende Stimme lässt uns beide zusammenfahren. Ich drehe mich um und sehe ein ganzes Rudel Männer in schwarzen Anzügen auf uns zukommen. Auch ein paar Frauen entdecke ich darunter – ebenso schwarz gewandet.

»Selbstverständlich.« Guy nickt Ketterman zu, dreht sich dann um und schenkt mir ein freches Zwinkern.

Vielleicht sollte ich ja einen Kurs im Gedankenlesen belegen.

3

Neun Stunden später sitzen wir noch immer im Konferenzzimmer zusammen.

Der große Mahagonitisch ähnelt mittlerweile meinem Schreibtisch – Vertragsentwürfe in verschiedensten Stadien, Buchhaltungsunterlagen, vollgekritzelte Notizzettel und Styroportassen mit Kaffeeresten bedecken jede freie Fläche. Auf dem Boden liegen noch die leeren Schachteln vom angelieferten Mittagessen herum. Eine Sekretärin verteilt gerade Kopien der neuesten Version des Vertrags. Zwei Anwälte der Gegenpartei haben sich erhoben und dezent ins Flüsterzimmer zurückgezogen. Jedes Konferenzzimmer verfügt über so einen Raum, auch »Klause« genannt, wo man ein Vier-Augen-Gespräch führen oder auch nur ein bisschen Dampf ablassen kann.

Die heiße Phase ist vorüber. Es ist wie die Ebbe nach der Flut. Die Gesichter sind noch gerötet, die Gemüter noch erhitzt, doch die Brüllerei hat endlich aufgehört. Die Klienten sind gegangen. Gegen sechzehn Uhr hatten sie sich zusammengerauft und waren, nach einem Händedruck, in ihren Luxuslimousinen abgerauscht.

Jetzt sind wir, die Anwälte, an der Reihe. Jetzt ist es an uns, das was gesagt wurde und das was tatsächlich gemeint ist (falls Sie glauben, dass das ein und dasselbe ist, können Sie die Juristerei gleich aufgeben), herauszuarbeiten und in einen Vertragsentwurf zu fassen, rechtzeitig zur morgigen Konferenz.

Wo dann wieder gebrüllt werden darf.

Ich reibe mein staubtrockenes Gesicht und nippe zerstreut an einem Styroporbecher. *Igitt.* Das ist der falsche, der mit der kalten, vier Stunden alten Brühe. Bäh. Und ausspucken geht ja wohl schlecht.

Wohl oder übel schlucke ich das widerliche Gesöff herunter. Das künstliche Licht aus den Leuchtstoffröhren flimmert mir vor den Augen. Ich bin vollkommen ausgelaugt. Meine Aufgabe in diesem Mega-Deal ist die finanzielle Seite – ich war es, die das Darlehen zwischen unserem Klienten und der Bank ausgehandelt hat. Ich war es, die den Karren aus dem Dreck zog, als sich ein plötzliches Schuldenloch in einer der Zweigfirmen auftat. Und ich war es, die geschlagene drei Stunden lang mit den gegnerischen Parteien über einen einzigen blöden Ausdruck in Absatz 29(d) debattieren musste.

Man konnte sich nicht darüber einigen, ob es »nach bestem Wissen und Gewissen« heißen sollte oder – wie die Gegenpartei gern wollte – »nach Möglichkeit«. Wir haben gewonnen, aber irgendwie verspüre ich nicht das sonst übliche Triumphgefühl. Ich weiß nur, dass es neunzehn Uhr neunzehn ist und ich in elf Minuten am anderen Ende der Stadt sein müsste. Ich bin nämlich zum Abendessen in einem Restaurant mit meiner Mutter und meinem Bruder Daniel verabredet.

Ich werde wohl absagen müssen. Meine eigene Geburtstagsfeier.

Beim Gedanken daran höre ich förmlich die entrüstete Stimme meiner ältesten und besten Schulfreundin Freya.

Die können doch unmöglich von dir verlangen, dass du sogar an deinem Geburtstag Überstunden machst!

Ich musste auch ihr letzte Woche absagen. Wir wollten eigentlich in einen Comedy Club gehen, aber der Vertrag, an dem wir arbeiteten, stand kurz vor dem Abschluss und ich hatte keine Wahl.

Was sie einfach nicht kapiert ist, dass die Arbeit vorgeht. Termine gehen vor. Ende der Story. Egal, ob du dir schon was für den Abend vorgenommen hast. Egal, ob du Geburtstag hast. Selbst wenn du in den – wohlverdienten – Urlaub gehen wolltest. Egal. Am Tisch mir gegenüber sitzt Clive Sutherland vom Corporate Department. Seine Frau hat heute Morgen Zwillinge bekommen, und er ist trotzdem zur Lunchzeit wieder im Büro gewesen.

»Also gut, meine Damen, meine Herren.« Kettermans befehlsgewohnte Stimme sorgt sofort für Ruhe.

Ketterman ist der Einzige, der kein rotes Gesicht hat, der nicht müde aussieht oder wenigstens gestresst. Er wirkt unberührt, automatenhaft wie immer. Wenn er mal sauer wird, bildet sich bei ihm nicht das kleinste Fältchen. Er verströmt dann lediglich eine stumme, stählerne Wut.

»Wir müssen vertagen.«

Was? Mein Kopf zuckt hoch.

Andere Köpfe ebenfalls. Rund um den Tisch keimt Hoffnung auf. Wir sind wie Schulkinder, die während einer Strafarbeit plötzlich frischen Wind schnuppern. Keiner wagt es, sich zu rühren, aus Angst, noch länger nachsitzen zu müssen.

»Ohne diese Unterlagen von Fallons können wir nicht weitermachen. Wir sehen uns dann morgen, Punkt neun.« Mit diesen Worten rauscht er davon, und ich atme unwillkürlich auf. Erst jetzt merke ich, dass ich die Luft angehalten hatte.

Von Clive Sutherland ist nur noch eine Staubwolke zu sehen. Überall werden Handys gezückt, Absagen rückgängig gemacht, Kino- und Restaurantbesuche vereinbart, die Stimmung steigt. Auch ich hätte am liebsten »Jippie« gerufen, beherrsche mich aber.

So etwas gehört sich nicht für eine künftige Seniorpartnerin. Ich raffe meine Papiere zusammen, stopfe sie in meine Aktentasche und schiebe meinen Stuhl zurück.

»Samantha, fast hätte ich's vergessen.« Guy drängt sich zu mir durch. »Ich habe noch was für dich.«

Er überreicht mir ein schlichtes weißes Päckchen, das ich mit jäh aufkeimender Freude entgegennehme. Er ist der Einzige in der ganzen Firma, der an meinen Geburtstag gedacht hat. Mit glühenden Wangen reiße ich die weiße Kartonverpackung auf.

»Guy, das wäre doch nicht nötig gewesen!«

»Das war doch nichts«, sagt er äußerst selbstzufrieden.

»Trotzdem!« Ich lache. »Ich dachte, du hättest –«

Mir bleibt das Wort im Hals stecken, als ich eine DVD mit dem Firmenlogo hervorziehe. Es ist eine Zusammenfassung von der Präsentation der europäischen Partner, die neulich stattfand. Ich erwähnte Guy gegenüber, dass ich gerne eine Kopie davon gehabt hätte.

Ich drehe sie hin und her, wobei ich sorgfältig darauf achte, dass mein Lächeln noch im Gesicht sitzt, bevor ich schließlich aufblicke. Natürlich hat er nicht an meinen Geburtstag gedacht. Wie auch? Sicher weiß er gar nicht, wann ich überhaupt Geburtstag habe.

»Das ist … toll«, stammle ich schließlich. »Echt toll! Danke!«

»Hab ich doch gern gemacht.« Er greift nach seiner Aktentasche. »Ich wünsche dir noch einen schönen Abend. Hast du was vor?«

Ich kann ihm unmöglich sagen, dass ich Geburtstag habe. Er wird denken – er wird merken –

»Ich, äh … kleines Familientreffen.« Ich lächle gezwungen. »Dann bis morgen.«

Egal. Hauptsache, ich bin weggekommen. Ich werde es doch noch zu meiner Geburtstagsfeier schaffen. Und wie's aussieht, sogar pünktlich!

Während mein Taxi sich durch den Verkehr von Cheapside wühlt, wühle ich rasch in meinen neuen Kosmetiksachen. Ich bin neulich in der Mittagspause bei Selfridge's vorbeigehuscht, weil ich gemerkt hatte, dass ich immer noch den grauen Eyeliner und die Wimperntusche von vor sechs Jahren benutze, die ich kurz nach dem Examen erstanden hatte. Da ich keine Zeit hatte, groß was auszuprobieren, habe ich die Verkäuferin einfach gebeten, mir alles zusammenzusuchen, was sie ihrer Meinung nach brauche.

Ihren Erläuterungen habe ich kaum zugehört, weil ich Elldridge am Handy hatte, wegen dieser ukrainischen Ölsache. Aber an eins kann ich mich doch noch erinnern: dass sie immer wieder betonte, ich solle so was wie »Tönungspuder« verwenden. Sie meinte, er würde mir etwas Farbe ins Gesicht zaubern und ich würde nicht mehr so grässlich –

An dieser Stelle geriet sie ins Stocken. »Blass aussehen«, hat sie schließlich gesagt. »Dabei sind Sie nur eine Spur … blass.«

Ich hole das Puderdöschen hervor und den dazugehörigen überdimensionalen Gesichtspinsel und beginne mir Wangen und Stirn zu pudern. Als ich einen Blick in den kleinen Spiegel werfe, muss ich ein Prusten unterdrücken. Mein Gesicht erstrahlt in mattem Goldglanz. Ich sehe aus wie ein Azteke. Einfach lächerlich.

Ich meine, wem will ich was vormachen? Ich bin Anwältin in der Londoner City, habe seit zwei Jahren keinen einzigen Tag Urlaub gehabt – wie sollte ich da zu einer Gesichtsbräune kommen? Da könnte ich mir ja gleich Holzperlen in die Haare

33

flechten lassen und behaupten, ich wäre gerade von Barbados eingeflogen.

Nach einem abschließenden Blick hole ich resolut ein Kosmetiktuch hervor und wische mir den Zauber wieder aus dem Gesicht. So, jetzt bin ich wieder bleich, mit einem Stich ins Graue. Normal also. Die Verkäuferin erwähnte auch mehrmals die dunklen Ringe unter meinen Augen.

Was weiß die schon! Wenn ich keine Ringe unter den Augen hätte, würde man mich wahrscheinlich feuern!

Ich habe, wie gewöhnlich, ein schwarzes Kostüm an. Meine Mutter hat mir zum einundzwanzigsten Geburtstag fünf schwarze Kostüme geschenkt, und ich trage seitdem nichts anderes. Das einzig Farbige in meiner Garderobe ist eine rote Handtasche. Die habe ich ebenfalls von Muttern bekommen, vor zwei Jahren.

Eine schwarze, jedenfalls. Aber aus irgendeinem Grund – vielleicht, weil es ein so sonniger Tag war oder weil wir gerade einen großartigen Fall abgeschlossen hatten – habe ich sie aus einer plötzlichen Laune heraus gegen eine rote eingetauscht. Was mir meine Mutter bis heute nicht verziehen hat.

Ich mache mein Haar auf, kämme es rasch durch und binde es dann wieder zu einem Knoten hoch. Meine Haare sind nicht gerade mein ganzer Stolz. Sie sind mausbraun, etwa schulterlang, nicht glatt und auch nicht lockig. Jedenfalls war das so, als ich das letzte Mal hingeschaut habe. Die meiste Zeit trage ich sie ohnehin hochgesteckt.

»Na, was Nettes vor?«, fragt der Taxifahrer mit einem Blick in den Rückspiegel.

»Ich habe heute Geburtstag!«

»Ach – da wünsche ich alles Gute!« Er zwinkert mir zu. »Da gibt's wohl noch eine Riesenparty. Die ganze Nacht durchfeiern und so.«

»Äh ... so was Ähnliches.«

Meine Familie und wilde Parties, das passt nicht so recht zusammen. Trotzdem ist es schön, sich mal wieder zu treffen und Neuigkeiten auszutauschen. Dazu haben wir viel zu selten Gelegenheit.

Nicht, dass wir uns nie sehen würden. Wir sind nur alle beruflich recht eingespannt. Meine Mutter ist Staatsanwältin und mittlerweile eine kleine Berühmtheit. Letztes Jahr hat sie sogar eine Auszeichnung erhalten – »Frauen in der Justiz« oder so was. Und dann ist da noch mein Bruder Daniel, er ist sechsunddreißig und Chef der Investmentabteilung bei Whittons. Er kam letztes Jahr auf die Liste der einflussreichsten Geschäftsleute Londons.

Und dann wäre da noch mein anderer Bruder, Peter, doch der hatte, wie gesagt, einen kleinen Nervenzusammenbruch und lebt seitdem in Frankreich, wo er an einer kleinen Dorfschule Englisch unterrichtet. Er hat nicht mal einen Anrufbeantworter. Und mein Dad, natürlich, der in Südafrika lebt, zusammen mit seiner dritten Ehefrau. Ich habe ihn seit meinem dritten Lebensjahr kaum mehr gesehen, aber das ist schon in Ordnung. Meine Mutter hat genug Energie für zwei Elternteile.

Während wir den *Strand* entlangfahren, werfe ich einen Blick auf meine Uhr. Neunzehn Uhr zweiundvierzig. Allmählich keimt Vorfreude auf. Wann habe ich Mutter eigentlich zum letzten Mal gesehen? Das muss … an Weihnachten gewesen sein. Vor sechs Monaten.

Das Taxi hält vor dem Restaurant, ich bezahle und füge noch ein großzügiges Trinkgeld hinzu.

»Einen wunderschönen Abend!«, sagt der Fahrer. »Und noch mal alles Gute zum Geburtstag!«

»Danke!«

Ich eile ins Restaurant und blicke mich suchend nach Mum oder Daniel um, kann aber keinen von beiden entdecken.

»Hallo!«, sage ich zu dem Oberkellner. »Ich bin mit Mrs. Tennyson verabredet. Sie hat einen Tisch bestellt.«

Mrs. Tennyson ist Mutter. Sie hält nichts von Frauen, die den Namen des Ehemannes annehmen. Sie hält auch nichts von Frauen, die daheim bleiben und kochen und Wäsche waschen oder sich zur Tippse ausbilden lassen. Sie findet, dass Frauen grundsätzlich mehr verdienen sollten als ihre Männer, einfach weil sie von Natur aus mehr Grips haben.

Der Oberkellner führt mich an einen Tisch in einer Ecke, und ich lasse mich auf der ledernen Sitzbank nieder.

»Hallo!« Ich lächle den Kellner an, der kurz darauf an meinen Tisch tritt. »Ich hätte gerne einen Buck's Fizz, einen Gimlet und einen Martini, bitte. Aber erst, wenn die anderen Gäste eintreffen.«

Mum trinkt immer einen Gimlet. Und was Daniel dieser Tage für Vorlieben hat, weiß ich nicht. Aber zu einem Martini sagt er sicher nicht nein.

Der Kellner nickt und verschwindet. Ich schüttle meine Serviette aus und blicke mich interessiert um. Maxim's ist ziemlich cool – Chrom und Stahl und stimmungsvolle Beleuchtung. Es ist gerade bei Juristen sehr beliebt. Mum geht hier ein und aus. Ich erkenne zwei Anwälte von Linklaters an einem entfernten Tisch, und an der Bar sitzt einer der renommiertesten Anwälte für Verleumdungsklagen. Die Geräuschkulisse, das Klappern von Besteck an überdimensionalen Tellern, das Knallen von Korken, dringt wie Brandungswellen an mein Ohr, akzentuiert durch Gelächtersalven, bei denen sich Köpfe herumdrehen.

Ich studiere die Speisekarte und merke plötzlich, dass ich einen Riesenhunger habe. Ich hatte, glaube ich, schon seit einer Woche keine anständige Mahlzeit mehr. Beim Anblick dieser Köstlichkeiten läuft mir das Wasser im Mund zusammen: glasierte Gänseleberpastete. Gefülltes Lamm in Kräuterkruste.

Und auf der Dessertkarte steht unter anderem Minzschokoladensoufflé sowie zwei verschiedene Sorten hausgemachter Sorbets. Ich hoffe, Mum kann bis zum Dessert bleiben. Sie hat die Angewohnheit, ganz plötzlich zu verschwinden, meist nach dem Hauptgang. Wie oft habe ich sie sagen hören: Ein halbes Dinner ist auch ein Dinner. Das Problem ist, das Essen ist ihr eigentlich schnuppe. Gleiches gilt für alle Menschen, die weniger intelligent sind als sie. Womit der Großteil der Menschheit betroffen wäre.

Aber Daniel zumindest wird bleiben. Er kann keine geöffnete Weinflasche »verkommen lassen«, wie er sich ausdrückt.

»Miss Sweeting?« Der Oberkellner nähert sich mit einem Handy. »Ein Anruf für Sie. Ihre Mutter wurde bei Gericht aufgehalten.«

»Ach.« Ich versuche, mir meine Enttäuschung nicht anmerken zu lassen. Aber ich kann mich ja wohl kaum beschweren. Wie oft habe ich schon dasselbe getan? »Also … wann wird sie hier sein?«

Der Oberkellner schweigt betreten. Ich glaube einen mitleidigen Ausdruck über sein Gesicht huschen zu sehen.

»Sie ist am Telefon. Ihre Sekretärin wird sie durchstellen. – Hallo?«, spricht er ins Telefon. »Ich habe hier Mrs. Tennysons Tochter.«

»Samantha?«, dringt eine forsche Stimme an mein Ohr. »Tut mir Leid, Schatz, ich kann heute Abend nicht kommen.«

»*Überhaupt nicht?* Nicht mal später?« Mein Lächeln versickert. »Nicht mal … auf einen Drink?«

Ihr Gericht ist nur fünf Minuten von hier, in Lincoln's Inn Fields.

»Viel zu viel um die Ohren. Ich habe einen wirklich wichtigen Fall, der morgen zur Verhandlung kommt … Nein, nicht diese Akte«, sagt sie zu jemandem in ihrem Büro. »So was kommt vor«, meint sie an mich gewandt. »Aber ich wünsche dir jedenfalls einen schönen Abend mit Daniel. Ach, und alles Gute zum Geburtstag. Ich habe dir dreihundert Pfund auf dein Konto überweisen lassen.«

»Ach ... wie nett. Vielen Dank.«

»Hast du schon was gehört, ob du Seniorpartnerin wirst?«

»Noch nicht.« Sie klopft mit ihrem Stift an den Hörer.

»Wie viel hast du in diesem Monat gearbeitet?«

»Ach ... so zweihundert Stunden etwa ...«

»Reicht das? Samantha, du willst schließlich nicht übergangen werden. Es kommen immer junge, ehrgeizige Anwälte nach. In deiner Position kann man leicht verhungern.«

»Zweihundert ist ganz schön viel«, versuche ich zu erklären. »Im Vergleich zu den anderen –«

»Du musst *besser* sein als die anderen!« Sie schneidet mir das Wort ab, als befände sie sich im Gerichtssaal. »Du kannst es dir nicht leisten, schlechter als exzellent zu sein. Das ist ein *äußerst kritischer* Zeitpunkt – doch nicht *die* Akte! Warte einen Moment, Samantha, bin gleich wieder da.«

»Samantha?«

Verwirrt blicke ich auf. Vor mir steht eine junge Frau in einem pastellblauen Kostüm, in der Hand einen enormen Geschenkkorb, den sie mir mit einer Verbeugung und einem strahlenden Lächeln überreicht.

»Ich bin Lorraine, Daniels persönliche Assistentin«, sagt sie mit einer Singsangstimme, die mir plötzlich bekannt vorkommt. »Er kann heute Abend leider nicht kommen, fürchte ich. Aber ich habe da etwas für Sie – und er ist hier am Telefon, um Ihnen Hallo zu sagen.«

Sie streckt mir ein kleines Handy hin. Total verwirrt halte ich es mir ans andere Ohr.

»Hallo, Samantha«, ertönt Daniels sachliche Stimme. »Pass auf, Liebes, ich schaffe es einfach nicht. Stecke mitten in einem Mega-Deal.«

Mir wird ganz anders. *Keiner* von beiden feiert mit mir?

»Tut mir wahnsinnig Leid, Babe«, sagt Daniel. »So was kommt vor. Aber amüsier dich gut mit Mum, okay?«

Ich muss erst mal schlucken. Ich kann doch jetzt nicht zugeben, dass sie mich auch sitzen lässt. Ich kann nicht zugeben, dass ich ganz allein hier hocke.

»Ja, gut!« Irgendwie kriege ich einen munteren Ton zustande. »Das werden wir!«

»Ich habe dir ein bisschen Geld überwiesen. Kauf dir was Schönes. Und ich habe Lorraine mit Pralinen vorbeigeschickt. Hab sie selbst ausgesucht!«, fügt er stolz hinzu.

Ich werfe einen Blick auf den Geschenkkorb, den Lorraine mir bereitwillig hinhält. Es ist Seife drin, keine Pralinen.

»Wirklich nett von dir, Daniel«, stammle ich. »Herzlichen Dank.«

»Happy Birthday to you …«

Ich drehe mich um. Ein Kellner mit Tablett kommt auf mich zu, darauf steht ein funkensprühendes Cocktailglas. Auf dem Tablett steht mit Karamell »Happy Birthday Samantha« geschrieben, daneben eine vom Chefkoch höchstpersönlich signierte Miniaturspeisekarte. Dem Kellner folgen drei weitere, die alle »Happy Birthday« schmettern.

Lorraine stimmt nach kurzem Zögern verlegen mit ein. *»Happy Birthday to you …«*

Der Kellner stellt das Tablett vor mir ab, aber ich habe die Hände voller Telefone.

»Warten Sie, ich nehme Ihnen das hier ab«, sagt Lorraine und nimmt Daniels Handy. Sie hebt es ans Ohr und fängt an zu strahlen. »Er singt auch!«, sagt sie und deutet eifrig aufs Telefon.

»Samantha?« Mum meldet sich wieder. »Bist du noch da?«

»Ich … sie singen gerade ›Happy Birthday‹ …«

Ich lege das Handy auf den Tisch. Nach kurzem Überlegen legt Lorraine Daniels Handy behutsam daneben.

Das ist meine Geburtstagsfeier.

Zwei Handys.

Die Leute drehen sich zu mir um, doch ihr Lächeln verblasst ein bisschen, als sie sehen, dass ich ganz allein am Tisch sitze. Auch auf den Gesichtern der Kellner zeichnet sich Mitleid ab. Ich versuche mir nichts draus zu machen, doch meine Wangen brennen vor Scham.

Plötzlich taucht auch der Kellner auf, bei dem ich zuvor bestellt hatte. Er hat drei Cocktails auf einem Tablett dabei. Sein Blick huscht verwirrt über den leeren Tisch.

»Für wen war der Martini?«

»An sich für meinen Bruder ...«

»Das wäre dann das Nokia«, meldet sich Lorraine hilfreich zu Wort und deutet auf besagtes Handy.

Kleine Pause – dann stellt der Kellner mit einem professionell-ausdruckslosen Gesichtsausdruck den Martini nebst Cocktailserviette neben das Handy.

Ich hätte am liebsten gelacht – bloß, dass da so ein Stechen in meinen Augen ist und ich nicht sicher bin, ob ich überhaupt kann. Er stellt auch die anderen Cocktails ab, nickt mir zu und verschwindet wieder. Eine verlegene Pause entsteht.

»Also dann ...« Lorraine nimmt Daniels Handy und verstaut es in ihrer Handtasche. »Dann noch alles Gute zum Geburtstag – und einen schönen Abend!«

Während sie auf hohen Absätzen davontrippelt, nehme ich das andere Telefon zur Hand, um mich von Mutter zu verabschieden, doch die hat bereits aufgelegt. Die singenden Kellner haben sich diskret verkrümelt. Ich bin wieder allein. Mit einem Korb Seife.

»Möchten Sie jetzt bestellen?« Der Oberkellner taucht an meinem Tisch auf. »Ich könnte Ihnen das Risotto empfehlen«, sagt er tröstend. »Oder vielleicht einen schönen Salat? Ein Glas Wein dazu?«

»Wissen Sie« – ich ringe mir ein Lächeln ab – »bringen Sie mir einfach die Rechnung.«

Schwamm drüber.

Ehrlich gesagt hätten wir es sowieso nie alle geschafft. Eine verrückte Idee. Wir hätten es gar nicht erst versuchen sollen. Wir sind alle beruflich sehr eingespannt, haben jeder einen stressigen Job, so ist das nun mal in meiner Familie.

Als ich draußen vor dem Restaurant stehe, fährt gerade ein Taxi vor, und ich strecke rasch den Arm raus. Die Tür geht auf und eine abgelatschte, mit Holzperlen bestickte Sandale taucht auf, gefolgt von Cut-Off-Jeans und einem farbenfrohen Kaftan, gekrönt von einem mir nur allzu vertrauten blonden Lockenschopf …

»Warten Sie hier«, weist sie den Taxifahrer an. »Bin in fünf Minuten wieder da.«

»*Freya?*« Ich bin fassungslos. Sie wirbelt herum und reißt die Augen auf.

»Samantha! Was stehst du hier draußen?«

»Und was machst *du* hier?«, entgegne ich. »Ich dachte, du wärst längst unterwegs nach Indien.«

»Bin ich auch! Ich treffe mich mit Lord am Flughafen. In …« Sie wirft einen Blick auf ihre Uhr. »Ungefähr zehn Minuten.«

Sie macht eine schuldbewusste Miene, und ich muss unwillkürlich lachen. Ich kenne Freya seit der ersten Klasse, als wir beide in eine Internatsschule kamen. Schon in der ersten Nacht hat sie mir erzählt, ihre Eltern wären Zirkusartisten und sie könne auf einem Elefanten reiten und auf einem Seil balancieren. Ich habe ihr ein ganzes Schuljahr lang geglaubt, wenn sie mir von ihrem exotischen Leben beim Zirkus erzählte. Bis dann schließlich ihre Eltern auftauchten, um sie abzuholen, und sich herausstellte, dass sie stinknormale Buchhalter aus Staines waren. Doch selbst da zeigte sie keine Spur von einem schlechten Gewissen. Sie behauptete einfach, sie wären *früher* Zirkusartisten gewesen.

Sie hat strahlend blaue Augen und jede Menge Sommersprossen. Da sie ständig auf Reisen ist, ist sie ständig braun gebrannt. Gerade jetzt schält sich ihre Nase ein wenig, und sie hat einen neuen Ohrring, oben an der Ohrmuschel. Sie hat die weißesten, schiefsten Zähne, die ich je gesehen habe, und wenn sie lacht, kräuselt sich eine Ecke ihrer Oberlippe.

»Ich bin gekommen, um in deine Geburtstagsfeier reinzuplatzen.« Freyas Blick schwenkt misstrauisch in Richtung Restaurant. »Ich dachte eigentlich, dass ich zu spät wäre. Was ist los?«

»Na ja …« Ich zögere. »Es ist so … Mum und Daniel …«

»Mussten früher gehen?« Freya schaut mich an und auf einmal breitet sich Entsetzen auf ihrer Miene aus. »*Sind gar nicht erst gekommen?* Herrgott noch mal, diese Schweinekerle! Konnten sie nicht wenigstens ein einziges Mal ihre bescheuerte Arbeit weniger wichtig nehmen und zu dir …« Sie holt tief Luft. »Sorry. Ich weiß. Ist nun mal deine Familie. Leider Gottes.«

Freya und Mum verstehen sich nicht besonders gut.

»Ist doch egal«, sage ich schulterzuckend. »Ehrlich. Ich habe sowieso furchtbar viel Arbeit.«

»*Arbeit?*« Sie starrt mich fassungslos an. »Jetzt? Bist du verrückt geworden? Hört das denn nie auf?«

»Im Moment ist es nun mal recht hektisch«, verteidige ich mich. »Nur vorübergehend, natürlich.«

»›Vorübergehend‹ sagst du doch *immer*! Es ist *immer* ›hektisch‹! Jahr für Jahr verzichtest du auf jeden Spaß –«

»Das ist nicht wahr.«

»Jahr für Jahr erzählst du mir, dass es bald besser wird. Aber das wird es nie!« Ihre Augen sind mit einem Ausdruck großer, leidenschaftlicher Sorge auf mich gerichtet. »Samantha, was ist nur aus deinem Leben geworden?«

Ich starre zurück. Autos rasen dröhnend an uns vorbei. Ich

weiß nicht, was ich darauf antworten soll. Eigentlich kann ich mich gar nicht mehr so recht erinnern, wie mein Leben früher war.

»Ich will Seniorpartner bei Carter Spink werden«, sage ich schließlich. »Das ist mein größter Wunsch. Dafür muss man Opfer bringen.«

»Und was geschieht, wenn du Seniorpartner bist?«, beharrt sie. »Wird es dann besser?«

Ich zucke ausweichend mit den Schultern. In Wahrheit habe ich noch nie weiter gedacht. Seniorpartner. Mein größter Traum. Wie ein leuchtender Stern am Himmel.

»Du bist neunundzwanzig Jahre alt, Menschenskind!« Freya gestikuliert mit einer knochigen, silberberingten Hand. »Du solltest eigentlich in der Lage sein, ab und zu mal was Spontanes zu machen. Dir die Welt ansehen!« Sie packt mich beim Arm. »Samantha, komm mit nach Indien! Jetzt, sofort!«

»Was?!« Ich stoße ein fassungsloses Lachen aus. »Ich kann doch jetzt nicht nach *Indien*!«

»Nimm dir einen Monat frei. Warum auch nicht? Die werden dich schon nicht feuern. Komm mit zum Flughafen, wir kaufen dir ein Ticket …«

»Freya, du hast sie nicht mehr alle. Im Ernst.« Ich drücke ihren Arm. »Ich hab dich unheimlich gern, aber du hast sie wirklich nicht mehr alle.«

Langsam lässt Freya mich los. »Dito«, sagt sie. »*Du* hast sie nicht mehr alle! Auch wenn du meine Freundin bist.«

Ihr Handy klingelt, doch sie beachtet es gar nicht. Stattdessen wühlt sie in ihrem bestickten Schulterbeutel herum und fördert ein fein gearbeitetes, wunderschönes silbernes Parfümfläschchen zutage, schlampig in ein rotes Seidentuch eingewickelt.

»Hier, für dich.« Sie drückt es mir in die Hand.

»Freya …« Ich drehe und wende das Fläschchen. »Es ist einfach umwerfend.«

43

»Dacht ich's mir doch, dass dir das gefällt.« Sie holt ihr Handy raus. »Was?«, faucht sie ungeduldig in den Hörer. »Hör zu, Lord, ich bin gleich da, okay?«

Freyas Göttergatte heißt mit vollem Namen Lord Andrew Edgerly. Der Spitzname war anfangs ein Witz von Freya, blieb dann aber irgendwie an ihm hängen. Sie haben sich vor fünf Jahren in einem Kibbuz kennen gelernt und in Las Vegas geheiratet. Genau genommen ist sie jetzt Lady Edgerly – aber das will keinem so recht in den Kopf gehen, am allerwenigsten den beiden selbst.

»Danke, dass du gekommen bist. Danke für das hier.« Ich umarme sie. »Und viel Spaß in Indien.«

»Werden wir haben.« Freya steigt wieder in ihr Taxi. »Und wenn du nachkommen willst, brauchst du es nur zu sagen. Denk dir was aus – ein Notfall in der Familie ... was auch immer. Gib ihnen meine Nummer. Was immer es ist, ich werde dich decken.«

»Jetzt geh schon«, sage ich lachend und gebe ihr einen kleinen Schubs. »Ab nach Indien.«

Die Tür knallt zu, und sie streckt noch mal den Kopf aus dem Fenster.

»Sam ... viel Glück, morgen.« Sie nimmt meine Hand und schaut mir mit ungewöhnlichem Ernst in die Augen. »Wenn es wirklich dein Herzenswunsch ist, dann wünsche ich dir, dass es klappt.«

»Es ist mein allergrößter Wunsch.« Ich schaue meine älteste Freundin an und auf einmal fällt das ganze coole Gehabe von mir ab. »Freya – ich kann dir gar nicht sagen, wie sehr ich es mir wünsche.«

»Dann wirst du's auch schaffen. Das weiß ich.« Sie küsst meine Hand und winkt. »Und fahr bloß nicht wieder ins Büro! Versprochen?«, ruft sie mir noch zu, während das Taxi sich bereits in den Verkehr einfädelt.

»Versprochen!«, brülle ich zurück. Ich warte, bis sie verschwunden ist, dann winke ich ein Taxi herbei.

»Carter Spink, bitte«, sage ich, als es vor mir anhält.

Ich hatte natürlich meine Finger verkreuzt. Klar, dass ich wieder in die Kanzlei zurückfahre.

Es ist schon elf, als ich schließlich, vollkommen erschöpft und dem Hirntode nahe, nach Hause komme. Dabei habe ich erst die Hälfte von Kettermans Haufen geschafft. Scheiß Ketterman, denke ich, während ich die Tür zu meinem Apartmentblock aufstoße, einem gut erhaltenen Gebäude aus den Dreißigern. Scheiß Ketterman. Scheiß … scheiß …

»Guten Abend, Samantha.«

Ich erschrecke so, dass ich einen Satz mache, der einem Weitspringer zur Ehre gereicht hätte. Vor mir steht Ketterman. Nun, nicht direkt vor mir, aber vor dem Lift am anderen Ende der Eingangshalle, in der Hand eine überquellende Aktentasche. Starr vor Schreck glotze ich ihn an. Was macht *der* hier?

»Habe schon gehört, dass Sie auch hier wohnen.« Seine Augen hinter der Nickelbrille blitzen. »Ich habe kürzlich Nummer 32 erworben, als Basislager sozusagen. Wir sind also künftig während der Woche Nachbarn.«

O nein. Bitte Gott, lass das nicht wahr sein. Er *wohnt* hier?

»Äh … herzlich willkommen«, stammle ich, nicht gerade überzeugend. Die Lifttür öffnet sich, und wir treten zusammen in den Aufzug.

Nummer 32. Das bedeutet, er wohnt nur zwei Stockwerke über mir. Ich komme mir vor, als wäre mein Schuldirektor in mein Haus eingezogen. Wie soll ich mich je wieder entspannen? Warum musste er ausgerechnet *hier* einziehen?

In einer Stille, die von Sekunde zu Sekunde quälender wird, fahren wir nach oben. Soll ich Smalltalk machen? So von Nachbar zu Nachbar?

»Ich bin schon fast fertig mit der Akte, die Sie mir heute früh gegeben haben«, stoße ich schließlich hervor.

»Gut.« Knappes Nicken.

So viel zum Thema Smalltalk. Vielleicht sollte ich direkt zum Wesentlichen kommen. *Werde ich morgen Seniorpartnerin oder nicht?*

»Äh, also dann ... schönen Abend noch«, sage ich verlegen und trete aus dem Lift.

»Guten Abend, Samantha.«

Die Lifttür schließt sich, und ich stoße einen stummen Schrei aus. Ich kann nicht im selben Gebäude wie Ketterman wohnen. Ich werde umziehen müssen.

Gerade, als ich den Schlüssel in meine Haustür stecke, geht die Tür gegenüber einen Spaltbreit auf.

»Samantha? Sind Sie das?«

O nein, auch das noch. Für heute Abend reicht's mir wirklich. Aber gegen Mrs. Farley, meine Nachbarin, ist so schnell kein Kraut gewachsen. Sie hat silbergraues Haar, drei Schoßhündchen und ein unstillbares Interesse an meinem Leben. Andererseits ist sie sehr nett und nimmt immer Pakete für mich an, also lasse ich sie mehr oder weniger schnüffeln, wie sie will.

»Es ist wieder was für Sie gekommen, Liebes«, sagt sie. »Von der Reinigung diesmal. Warten Sie, ich hole Ihnen rasch die Sachen.«

»Danke«, antworte ich und stoße meine Tür auf. Auf der Fußmatte liegt ein kleiner Haufen Werbeprospekte, die ich mit dem Fuß zu dem größeren Haufen in der Ecke der Garderobe schiebe. Ich habe mir fest vorgenommen, das Ganze zum Papiermüll zu bringen, sobald ich Zeit habe. Es steht ganz oben auf meiner Liste.

»Sie kommen ja schon wieder so spät nach Hause«, piepst Mrs. Farley vorwurfsvoll, auf den Armen zwei in Plastik verschweißte Wäschelieferungen. »Ihr jungen Frauen von heute seid ja immer so beschäftigt!« Sie schnalzt missbilligend mit der Zunge. »Sie sind in dieser Woche kein einziges Mal vor elf nach Hause gekommen!«

Das meine ich, wenn ich von unstillbarem Interesse rede. Wahrscheinlich führt sie irgendwo Buch darüber.

»Nochmals vielen Dank«, sage ich und versuche ihr meine Blusen abzunehmen, doch zu meinem Schrecken drückt sie sich an mir vorbei und ist mit einem fröhlichen »ich trage es schon für Sie!« in meiner Wohnung, ehe ich »piep« sagen kann.

»Äh … Sie entschuldigen die, äh … Unordnung«, stammle ich, während sie sich an einem Stapel Bilder vorbeizwängt, die an der Wand lehnen. »Die wollte ich schon längst aufhängen … äh … und die Umzugskisten auspacken …«

Ich dirigiere sie hastig in die Küche, weg von den Pizzaschachteln, die sich auf meinem Garderobentischchen in bedrohlicher Höhe türmen. Was ich sogleich bereue, denn auf der Anrichte türmt sich ein Haufen Essenspackungen und Dosen, dazu ein Zettel von meiner neuen Putzfrau, noch dazu in Großbuchstaben:

LIEBE SAMANTHA,

1. DIESE LEBENSMITTEL SIND ALLE ABGELAUFEN. SOLL ICH SIE WEGWERFEN?
2. HABEN SIE IRGENDWELCHE PUTZMITTEL – EINEN BADREINIGER ZUM BEISPIEL? ICH KONNTE LEIDER NICHTS FINDEN.
3. SAMMELN SIE ZUFÄLLIG ESSENSKARTONS VOM CHINESEN? HABE SIE SICHERHEITSHALBER NICHT WEGGEWORFEN.

SCHÖNE GRÜSSE,
IHRE PUTZFRAU JOANNE

Ich kann sehen, wie Mrs. Farley den Zettel liest, und höre sie förmlich im Geiste »tz, tz« sagen. Letzten Monat hat sie mir einen Vortrag über die Vorzüge von irgendwelchen »Brätern« gehalten, mit denen man das Essen stundenlang weich kochen könne. Man müsse morgens bloß das Hühnchen mitsamt dem Gemüse reinwerfen, in den Herd schieben und abends habe man dann eine fertige Mahlzeit. Und ein paar Karotten schnippeln dauere doch sicher nicht lange, oder?

Das fragt sie mich?!

»Tja … noch mal, danke.« Ich nehme ihr hastig die Blusen ab, werfe sie auf den Herd und drängle sie schleunigst aus meiner Wohnung, kann aber leider nicht verhindern, dass ihr Blick beim Hinausgehen wie eine Radarantenne herumschweift. »Echt nett von Ihnen.«

»Ach, das macht mir doch nichts aus!« Sie betrachtet mich vorwurfsvoll. »Ich will mich ja nicht einmischen, meine Liebe, aber Baumwollblusen lassen sich problemlos in der Waschmaschine waschen, wissen Sie? Das Geld für die Reinigung könnten Sie sich wirklich sparen.«

Ich starre sie verständnislos an. Wenn ich sie in der Waschmaschine waschen würde, müsste ich sie ja auch trocknen. Und bügeln.

»Außerdem ist mir ganz *zufällig* aufgefallen, dass an einer Bluse ein Knopf fehlt«, fügt sie hinzu. »An der weiß-rosa gestreiften.«

»Oh, ach so«, sage ich. »Nun, das macht nichts. Ich werde sie nochmals in der Reinigung vorbeibringen. Das kostet nichts extra.«

»Aber Sie können doch wohl selbst einen Knopf annähen, meine Liebe!«, sagt Mrs. Farley schockiert. »Das geht blitzschnell. Sie haben doch sicher einen Ersatzknopf in Ihrem Nähkästchen?«

Mein was?

»Ich habe kein Nähkästchen«, entgegne ich, so höflich wie möglich. »Ich *nähe* nicht.«

»Aber Sie können doch sicher schnell einen Knopf annähen!«, ruft sie erregt.

»Nein«, sage ich, ein wenig gereizt über ihre schockierte Miene. »Aber das macht wirklich nichts. Ich bringe die Bluse einfach zurück.«

Mrs. Farley ist entsetzt. »Sie können nicht mal einen Knopf annähen? Hat Ihnen das Ihre Mutter denn nicht beigebracht?«

Bei diesem Gedanken muss ich ein Prusten unterdrücken. Mutter und einen Knopf annähen! Äh, nein. Hat sie nicht.«

»Also zu meiner Zeit«, hebt Mrs. Farley kopfschüttelnd an, »hat man wohlerzogenen Mädchen beigebracht, wie man Knöpfe annäht, Socken stopft und Kragen umsäumt.«

Für mich ist das reines Chinesisch. *Kragen umsäumen?*

»Nun, zu meiner Zeit leider nicht«, entgegne ich höflich. »Zu meiner Zeit hat man was gelernt, hat zugesehen, dass man sein Studium schafft und es beruflich zu was bringt. Man hat gelernt, eine eigene Meinung zu haben. Sein *Gehirn* zu benutzen«, komme ich nicht umhin, boshaft hinzuzufügen.

Mrs. Farley mustert mich einen Augenblick wortlos.

»Eine Schande«, sagt sie dann und tätschelt mir mitleidig den Arm.

Ich versuche, ruhig zu bleiben, aber plötzlich wird mir alles zu viel: die Anspannung des Tages, das stundenlange Arbeiten, die geplatzte Geburtstagsfeier. Ich bin hundemüde und komme um vor Hunger … und jetzt wirft mir diese Alte vor, dass ich keinen *Knopf* annähen kann?

»Es ist keine Schande«, presse ich hervor.

»Schon gut, meine Liebe«, sagt Mrs. Farley beschwichtigend und geht zu ihrer Wohnung hinüber.

Irgendwie erbost mich das noch mehr.

»Wieso ist es eine Schande?«, frage ich herausfordernd und trete auf den Flur hinaus. »Wieso, bitte schön? Gut, ich kann vielleicht keinen Knopf annähen, dafür aber einen Finanzierungsvertrag ausarbeiten, bei dem meine Klienten dreißig Millionen Pfund sparen! *Das* kann ich.«

Mrs. Farley mustert mich von ihrer Tür aus. Ihre Miene ist, falls überhaupt, noch mitleidiger geworden. »Es ist eine Schande«, wiederholt sie, als hätte sie überhaupt nicht gehört, was ich gerade gesagt habe. »Gute Nacht, meine Liebe.« Sie schließt leise ihre Wohnungstür, und ich stoße einen Wutschrei aus.

»Schon mal was von *Emanzipation* gehört? Nicht?!«, schreie ich ihr hinterher.

Stille.

Zornig ziehe ich mich in meine eigene Wohnung zurück und knalle die Tür zu. Dann greife ich zum Telefon, drücke auf den »Pizzaknopf« und habe sofort meine Lieblingspizzeria dran. Ich bestelle das Übliche: eine Capricciosa und eine Tüte Kettle Chips. Dann schenke ich mir ein Glas von dem Tütenwein ein, den ich noch im Kühlschrank stehen habe, schleppe mich ins Wohnzimmer und schalte den Fernseher ein.

Ein *Nähkästchen*, also wirklich. Womit kommt sie mir als Nächstes? Mit Stricknadeln und einem Webstuhl?

Ich lasse mich aufs Sofa sinken und zappe mich durch die Kanäle. Nachrichten ... ein französischer Spielfilm ... irgendeine Tiersendung ...

Stopp, das ist es. Ich lege die Fernbedienung auf dem Sofatisch ab und kuschele mich ins Kissen.

Die Waltons.

Was Besseres gibt's nicht, wenn man abschalten will. Genau was ich brauche.

Es ist eine Art Schlussszene. Die Familie sitzt am Abendbrottisch. Grandma spricht das Tischgebet.

Ich nehme einen kräftigen Schluck Wein und spüre förmlich, wie sich meine Anspannung löst. Ich *liebe* die Waltons, schon seit ich ein Kind war. Früher saß ich oft allein im Dunkeln, wenn alles ausgeflogen war, und stellte mir vor, ich würde bei den Waltons leben.

Und jetzt kommt die eigentliche Schlussszene, die, auf die ich mich immer am meisten freue: das Haus der Waltons von außen; es ist dunkel, die Lichter im ersten Stock gehen nacheinander aus, Grillen zirpen, die Stimme von John Boy aus dem Off. Ein ganzes Haus, voll mit einer einzigen großen Familie. Ich schlinge die Arme um meine Knie und verfolge sehnsüchtig die Szene, lausche der vertrauten Filmmelodie.

»Gute Nacht, Elizabeth!«

»Gute Nacht, Grandma«, sage ich laut. Ist ja nicht so, als ob mich jemand hören könnte.

»Nacht, Mary Ellen!«

»Gute Nacht, John Boy«, sagen Mary Ellen und ich im Chor.

»Gute Nacht.«

»Nacht.«

»Nacht.«

4

Ich fahre hektisch aus dem Schlaf, einen Fuß bereits aus dem Bett, mit der Hand panisch nach einem Stift tastend, und murmele irgendetwas vor mich hin.

So wache ich meistens auf. Liegt wohl in der Familie. Wir sind alle eher nervöse Schläfer. Vergangenes Weihnachten, in Mum's Haus, habe ich mich mal gegen drei Uhr morgens auf einen Schluck Wasser in die Küche runtergeschlichen – und bin prompt in Mum reingerannt, die dort im Morgenmantel herumstand und in einer Akte las, und in Daniel, der den Fernseher angestellt hatte und sich mit einer Dose Bier in der Hand über den aktuellen Stand des Hang Seng informierte.

Ich schwanke ins Bad und werfe einen Blick in den Spiegel. Käsebleich wie immer. Aber heute ist es so weit. Heute wird sich entscheiden, ob ich für all das Büffeln, für all die harte Arbeit, all die langen Nächte, den verdienten Lohn bekomme … oder auch nicht.

Seniorpartnerin. Oder nicht Seniorpartnerin.

Ogottogott. Aufhören. Bloß nicht dran denken. Ich tapse in die Küche und schaue in den Kühlschrank. Mist. Schon wieder keine Milch mehr da.

Und auch kein Kaffee.

Ich muss mir wirklich endlich mal eine Firma raussuchen, die mir all das ins Haus liefert. Und einen Milchmann. Ich angle mir einen Kuli und kritzle, »47. Lebensmittellieferungen/Milchmann?« ans Ende meiner Liste von Erledigungen.

Diese Liste hängt an meiner Wand und soll mich an all die alltäglichen Pflichten erinnern, die man als hart arbeitender Mensch so leicht vergisst. Das Papier ist schon ein wenig vergilbt, wie ich jetzt bemerke – die obersten Zeilen so ausgebleicht, dass man sie kaum mehr lesen kann. Aber es ist eine gute Methode, um den Überblick zu behalten, finde ich.

Mir kommt der Gedanke, dass ich die oberen Einträge eigentlich wirklich einmal ausstreichen könnte. Ich meine, das habe ich vor drei Jahren geschrieben, als ich hier einzog! Das müsste doch inzwischen längst erledigt sein. Ich zücke den Kuli und studiere mit konzentriert verengten Augen die verblichenen obersten Zeilenreihen.

1. Milchmann ausfindig machen
2. Lebensmittellieferungen – welche Firma?
3. Wie schaltet man den Herd ein? Gebrauchsanweisung!

Ach. Äh. Na gut, ich werde das anpacken, sobald ich Zeit habe. Am Wochenende. Ganz ehrlich. Und den Herd nehme ich mir jetzt endlich auch mal vor. Werde mir die Gebrauchsanweisung von vorne bis hinten durchlesen.

Rasch überfliege ich die Eintragungen im mittleren Bereich, die so etwa zwei Jahre alten.

16. Milchmann!!!
17. Abends mal Freunde einladen?
18. Hobby zulegen.

Die Sache ist die, ich habe *wirklich* vor, mal ein paar Freunde zu mir einzuladen. Und mir ein Hobby zuzulegen. Sobald in der Kanzlei ein wenig Ruhe eingekehrt ist.

Ich schaue mir die neueren Einträge an – nicht älter als ein Jahr, oder so –, wo die Tinte noch schön dunkelblau ist.

41. Mal in Urlaub fahren.
42. Freunde zum Essen einladen?
43. MILCHMANN!?

Frustriert starre ich die Liste an. Wie kann es sein, dass ich noch *gar nichts* davon erledigt habe? Gereizt pfeffere ich den Stift in eine Ecke, setze den Kessel auf und widerstehe mannhaft dem Drang, die beschissene Liste in Fetzen zu reißen.

Als das Wasser kocht, mache ich mir eine Tasse mit so einem komischen Heilkräutertee, den ich mal von einem Klienten geschenkt bekommen habe. Ich greife in die Obstschale, um mir einen Apfel zu nehmen – nur um festzustellen, dass ihm schon ein pelziges Fell gewachsen ist. Igitt. Schaudernd leere ich den gesamten Inhalt der Obstschale in den Mülleimer und genehmige mir stattdessen ein paar Cornpops aus einer noch offenen Packung.

Ehrlich gesagt mache ich mir nicht die Bohne aus dieser Liste. Ich will nur eins.

Wild entschlossen, mir in keinster Weise anmerken zu lassen, dass heute ein besonderer Tag für mich ist, treffe ich in der Kanzlei ein. Ich werde einfach den Tunnelblick aufsetzen und mich in die Arbeit stürzen.

Doch schon während ich im Lift nach oben fahre, kriege ich von drei verschiedenen Leuten ein gemurmeltes »viel Glück«. Dann, als ich den Flur entlanggehe, klopft mir plötzlich jemand aus der Abteilung Steuerrecht auf die Schulter und sagt, »viel Glück, Samantha«.

Woher weiß der meinen Namen?

Eilig schlüpfe ich in mein Büro und ziehe die Tür hinter mir zu. Die Tatsache, dass ich durch die Glasfront sehen kann, wie die Leute im Flur die Köpfe zusammenstecken und tuscheln und zu mir hinschauen, versuche ich zu ignorieren.

Wäre ich doch gar nicht erst hergekommen. Hätte ich doch irgendeine lebensbedrohliche Krankheit vorgeschützt.

Nun ja, nix zu machen. Schließlich habe ich genug zu tun, das ist heute nicht anders als sonst. Ich nehme Kettermans Akte zur Hand, suche mir die Stelle, wo ich gestern stehen geblieben war, und nage mich systematisch durch ein Dokument über einen fünf Jahre zurückliegenden Aktientransfer.

»Samantha?«

Ich blicke auf. Guy steht im Türrahmen, zwei Kaffeetassen in der Hand. Eine davon stellt er mir auf den Schreibtisch.

»Hallo«, sagt er, »na, wie geht's?«

»Gut, gut«, wiegle ich ab und blättere cool eine Seite um. »Völlig ... normal. Ist mir schleierhaft, warum hier jeder so einen Aufstand macht.«

Ich spüre, wie ich angesichts von Guys amüsierter Miene ein wenig rot werde. Um ihm zu beweisen, *wie* wenig mich das

Ganze kratzt, blättere ich schwungvoll weiter – und fege prompt die ganze Akte vom Tisch.

Dem Himmel sei Dank für Heftklammern.

Mit rotem Kopf sammle ich die Akte vom Boden auf und stopfe die Papiere wieder hinein. Jetzt erst mal einen Schluck Kaffee.

»Normal. Genau.« Guy nickt mit todernster Miene. »Bloß gut, dass du überhaupt nicht nervös bist, oder so.«

»Ja, gut, nicht?« Bei mir läuft er mit so was ins Leere.

»Na, also dann bis später.« Er prostet mir mit seiner Kaffeetasse zu und geht. Ich werfe einen Blick auf meine Uhr.

Erst acht Uhr vierunddreißig. Das überlebe ich nicht.

Irgendwie schaffe ich es dann doch. Ich arbeite mich durch Kettermans Akte und fange anschließend gleich mit dem Bericht an. Ich habe kaum den dritten Absatz beendet, als Guy wieder auftaucht.

»Hallo«, sage ich, ohne aufzublicken. »Mir geht's gut, okay? Und nein, ich habe noch nichts gehört.«

Guy antwortet nicht.

Schließlich hebe ich doch den Kopf. Er steht direkt vor meinem Schreibtisch und blickt mich mit einem Ausdruck an, wie ich ihn noch nie bei ihm gesehen habe: eine Mischung aus Stolz, Zuneigung und Erregung, die hinter einer unbewegten Pokermiene brodelt.

»Ich weiß, ich sollte das eigentlich nicht, aber ich kann nicht anders«, murmelt er. Dann beugt er sich vor. »Du hast's geschafft, Samantha. Du bist Seniorpartnerin. In einer Stunde wird es offiziell bekannt gegeben.«

Mir bleibt fast das Herz stehen.

Ich hab's geschafft. *Ich hab's geschafft.*

»Aber von mir hast du das nicht, okay?« Ein Grinsen huscht über sein Gesicht. »Gratuliere.«

»Äh … ah … danke«, stammle ich.

»Bis nachher. Dann werde ich dir richtig gratulieren.« Und schon ist er wieder verschwunden. Ich starre wie blind auf meinen Monitor.

Ich bin Seniorpartnerin.

O mein Gott. *O mein Gott.* O mein GOTT!

Ich krame hastig einen Handspiegel hervor und schaue hinein. Meine Wangen glühen. Am liebsten würde ich aufspringen und JAAAA! brüllen. Am liebsten würde ich laut schreiend umherspringen. Wie soll ich bloß die nächste Stunde durchstehen? Ich kann doch nicht einfach ruhig sitzen bleiben? Jetzt kann ich mich beim besten Willen nicht mehr auf den Bericht für Ketterman konzentrieren.

Nur um irgendetwas zu tun, stehe ich auf und gehe zum Aktenschrank. Fahrig mache ich irgendwelche Schubladen auf und wieder zu. Als ich mich umdrehe, fällt mein Blick auf meinen Schreibtisch.

Ketterman hat Recht. Der reinste Saustall. So sieht kein Schreibtisch eines Seniorpartners aus.

Hier muss erst mal klar Schiff gemacht werden. Genau das Richtige, um eine Stunde rumzukriegen. 12:06–13:06: Schreibtischadministration. Wir haben sogar ein Codewort. Für die Abrechnung.

Ich hatte ganz vergessen, wie sehr ich Aufräumen hasse.

Was da alles zum Vorschein kommt: Firmenschreiben … alte Verträge, die längst hätten abgelegt werden müssen … alte Einladungen … Memos … eine Pilates-Werbebroschüre … eine CD, die ich mir vor drei Monaten gekauft und wie verrückt gesucht hatte … Arnolds Weihnachtskarte vom letzten Jahr, auf der er selbst in einem wolligen Rentierkostüm abgebildet ist. Ich muss lächeln, als ich sie sehe. Die kommt auf den Stapel mit »Dingen, für die ich noch einen geeigneten Platz suche«.

Diverse Grabsteine tauchen auf – so nennen wir die mit Gravur versehenen Plexiglasklötze, die wir immer dann kriegen, wenn ein besonders großer Deal erfolgreich über die Bühne gegangen ist. Und … igitt, ein angebissenes Snickers, das ich aus irgendeinem Grunde nie aufgegessen hatte. Ab in den Müll. Mit einem Seufzer wende ich mich dem nächsten Stapel zu.

Warum gibt man uns auch derart riesige Schreibtische? Nicht zu fassen, was sich da alles für Kram ansammelt!

Partner! Schießt es mir jubelnd durch den Kopf, wie ein ganzer Strauß Feuerwerksraketen. PARTNER!

Jetzt reiß dich mal zusammen, befehle ich mir streng. Konzentrier dich auf die Arbeit. Ich nehme eine alte Ausgabe vom *Lawyer* zur Hand und frage mich unwillkürlich, warum zum Teufel ich die aufgehoben habe. Ein paar mit einer Heftklammer zusammengeklammerte Blätter fallen heraus. Ich hebe sie auf und überfliege sie, mit den Gedanken schon beim nächsten Stapel. Es ist ein Memo, von Arnold.

Betr. Third Union Bank
Anbei Schuldverschreibung von Glazerbrooks Ltd. mit der Bitte um fristgemäße Vormerkung.

Ich lese es ohne großes Interesse. Die Third Union Bank gehört zu Arnolds Klientel. Ich hatte erst einmal mit ihnen zu tun. Es geht um ein Darlehen für Glazerbrooks über fünfzig Millionen Pfund, und alles, was ich tun muss, ist, die Schose beim Amt für Kapitalgesellschaften, dem *Companies House*, vormerken zu lassen. Bloß einer von diesen öden Jobs, die einem die Seniorpartner ständig aufs Auge drücken. Aber jetzt nicht mehr, denke ich mit jäh aufwallender Entschlossenheit. Ja, ich glaube, ich werde dies hier gleich an ein anderes armes Schwein weiterreichen. Mein Blick fällt auf das Datum.

26. Mai.

Das war vor fünf Wochen. Nein, das kann nicht sein.

Verwirrt blättere ich die Papiere durch. Das muss ein Tippfehler sein. Aber es steht überall dasselbe Datum: 26. Mai.

26. Mai?

Wie gelähmt starre ich das Memo an. Das liegt doch nicht etwa seit *fünf Wochen* auf meinem Schreibtisch?

Aber … nein. Ich meine … das ist unmöglich. Das würde ja heißen –

Es würde heißen, dass die Frist bereits abgelaufen ist.

Ein gigantischer Kloß sitzt auf einmal in meinem Hals. Ich schlucke. Ich muss das falsch gelesen haben. Ich kann doch unmöglich so einen dämlichen Fehler gemacht haben. Ich kann doch unmöglich übersehen haben, das Darlehen rechtzeitig vormerken zu lassen. Ich achte doch *immer* auf die Fristen.

Ich mache die Augen zu, atme tief durch, versuche mich zu beruhigen. Das muss ein Irrtum sein. Wahrscheinlich habe ich aus Aufregung über meinen Karrieresprung nicht richtig gelesen. Ja, das muss es sein. Mein Hirn ist heute nicht ganz auf dem Posten. Also gut. Schauen wir uns die Sache noch einmal an. In aller Ruhe.

Ich öffne die Augen und blicke auf das Memo – aber da steht immer noch dasselbe: bitte vormerken lassen. Datum: 26. Mai. Schwarz auf weiß. Und das bedeutet, dass das Darlehen nicht gesichert ist. Was wiederum bedeutet, dass ich den dümmsten Anfängerfehler gemacht habe, der einem Anwalt unterlaufen kann.

Meine Glücksblase platzt wie ein angepiekster Luftballon. Eine klamme Kälte kriecht mir das Rückgrat hinauf. Verzweifelt versuche ich mich zu erinnern, ob Arnold irgendetwas zu mir gesagt hat, aber ich kann mich nicht mal entsinnen, dass er die Sache überhaupt erwähnt hätte. Und warum sollte er auch? Es ist eine simple Kreditsache. So was machen wir im Schlaf.

Er war natürlich davon ausgegangen, dass ich alles Nötige unternehmen würde. Er war davon ausgegangen, dass er sich auf mich verlassen kann.

Au Backe.

Ich blättere hektisch in den Papieren, ob sich nicht doch irgendwo ein Schlupfloch, ein Ausweg finden ließe. Irgendwas, wo ich erleichtert ausrufen kann: »Ach so, natürlich!« Aber nichts dergleichen. Wie betäubt halte ich die Papiere in der Hand. Wie konnte das nur passieren? Wie konnte ich so etwas nur übersehen? Hatte ich es zur Seite gelegt, weil ich mich später darum kümmern wollte? Ich weiß es nicht mehr. Ich weiß es, verflucht noch mal, nicht mehr.

Was soll ich bloß machen? Wenn ich mir vorstelle, welche Konsequenzen das haben könnte … Panik keimt in mir auf. Die Third Union hat Glazerbrooks ein Darlehen von fünfzig Millionen Pfund eingeräumt. Ohne Vormerkung ist dieses Darlehen – dieses Fünfzig-Millionen-Pfund-Darlehen – ungesichert. Wenn Glazerbrooks jetzt in Konkurs gehen sollte, stünde die Third Union ganz am Ende der Gläubigerkette. Und würde wahrscheinlich keinen Penny von ihrem Geld wiedersehen.

»Samantha!« Maggie taucht plötzlich in der Tür auf, und ich fahre vor Schreck fast bis zur Decke. Hastig lege ich die Hand auf das Memo. Es ist eine reine Instinkthandlung. Maggie hätte sowieso keine Ahnung, außerdem schaut sie nicht einmal hin.

»Ich hab's gerade gehört!«, zischt sie vernehmlich. »Guy hat's durchblicken lassen! Meine herzlichsten Glückwünsche!«

»Äh … danke!« Irgendwie schaffe ich es, meine steifen Lippen zu einem Lächeln zu verziehen.

»Ich wollte mir gerade einen Tee machen. Möchten Sie auch einen?«

»Das … wäre toll. Danke.«

Als Maggie verschwunden ist, lege ich den Kopf in die Hände. Ich versuche ruhig zu bleiben, doch ich fühle den kalten Klammergriff der Panik schon fast an der Kehle. Es hilft nichts, ich muss den Tatsachen ins Auge blicken: Ich habe Mist gebaut.

Ich habe einen Fehler gemacht.

Was soll ich bloß tun? Ich bin starr vor Angst, kann nicht mehr richtig denken –

Plötzlich fällt mir ein, was Guy gestern zu mir gesagt hat: *Ein Fehler ist erst dann ein Fehler, wenn er sich nicht mehr wieder gutmachen lässt.* Erleichterung durchflutet mich.

Das ist es. Ich kann es nämlich noch gutmachen. Ich kann das Darlehen immer noch vormerken lassen.

Es wird die reinste Hölle werden. Ich werde es der Bank sagen müssen – und Glazerbrooks – und Arnold – und Ketterman. Und einen Neuantrag stellen. Alles noch mal schreiben. Und was am Allerschlimmsten ist: Ich werde mit dem Wissen leben müssen, dass alle erfahren werden, was für einen dummen, dummen Fehler ich gemacht habe. Als wäre ich ein blutiger Anfänger.

Das könnte das Ende meiner Seniorpartnerschaft bedeuten, schießt es mir durch den Kopf. Mir wird jäh übel.

Aber ich habe keine Wahl. Ich muss die Sache in Ordnung bringen.

Rasch rufe ich die Website des *Companies House* auf und gebe den Namen Glazerbrooks ein. So lange inzwischen kein weiteres Darlehen eingetragen wurde, läuft es auf dasselbe hinaus …

Fassungslos starre ich auf den Monitor.

Nein.

Das kann nicht sein.

Eine Firma namens BLLC Holdings hat letzte Woche ein Darlehen von fünfzig Millionen Pfund vormerken lassen. Die Third Union muss sich hinten anstellen.

Mir wird ganz schwindlig. Das ist nicht gut. Das ist gar nicht gut. Da muss was getan werden. So schnell wie möglich, bevor noch irgendwelche weiteren Kredite vorgemerkt werden. Ich muss ... ich muss es Arnold sagen.

Bei dem Gedanken wird mir ganz anders.

Ich kann nicht. Ich kann doch nicht hergehen und zugeben, dass ich so blöd war, so unglaublich bescheuert, fünfzig Millionen Pfund – Geld, das einem wichtigen Klienten gehört – leichtsinnig aufs Spiel zu setzen! Nein, das geht nicht. Ich weiß, was ich tue. Ich werde ... ich werde erst einmal all das tun, was *ich* tun kann. Schadensbegrenzung ist angesagt. Ja. Erst mal die Bank anrufen. Je eher die Bescheid wissen, desto besser.

»Samantha?«

»Was?« Ich wäre fast vom Stuhl gefallen.

»Mann, Sie sind heute aber ganz schön nervös!«, lacht Maggie und stellt mir den Tee hin. »Ein himmlisches Gefühl, nicht?« Sie zwinkert mir schelmisch zu.

Ich weiß einen Moment lang überhaupt nicht, wovon sie redet. Ich kann nur noch daran denken, was ich angerichtet habe und wie es sich, wenigstens teilweise, wieder gutmachen lässt.

»Ach so, ja!« Verstohlen wische ich meine schweißnassen Hände mit einem Papiertaschentuch ab und versuche dabei, ein fröhliches Grinsen zustande zu bringen.

»Sie schweben wahrscheinlich noch immer auf Wolke sieben, stimmt's?« Sie lehnt sich gesellig an meinen Aktenschrank. »Hab den Champagner schon kalt gestellt. Alles bereit.«

»Äh ... toll! Ach, Maggie, tut mir Leid, aber ich muss jetzt leider ...«

»Ach«, sagt sie verletzt. »Gut, okay. Ich lasse Sie dann wieder in Ruhe.«

Beleidigt rauscht sie davon. Jetzt hält sie mich sicher für die dümmste Gans der Welt. Aber es gilt jetzt keine Sekunde mehr zu verlieren. Ich muss sofort die Bank anrufen.

Ich überfliege das Beiblatt mit den Kontaktadressen, wo ich Nummer und Name des verantwortlichen Sachbearbeiters der Union Bank finde. Charles Conway.

Den muss ich jetzt anrufen. Dem muss ich jetzt gleich den Tag verderben und gestehen, dass ich Mist gebaut habe. Zitternd greife ich zum Hörer. Ich habe das Gefühl, als müsste ich kopfüber in ein Becken voller verseuchter Blutegel springen.

Wie hypnotisiert starre ich das Tastenfeld an, versuche mich dazu zu zwingen, die Nummer zu wählen. Schließlich, als ginge es zum Schafott, strecke ich die Hand aus und tippe die Nummer. Als es am anderen Ende der Leitung klingelt, beginnt mein Herz wie wild zu klopfen.

»Charles Conway.«

»Ach, hallo!«, presse ich mit möglichst normaler Stimme hervor. »Samantha Sweeting von Carter Spink hier. Ich glaube nicht, dass wir uns schon kennen.«

»Hallo Samantha.« Eine freundliche Stimme. »Was kann ich für Sie tun?«

»Es geht um … um eine Angelegenheit, die wir gerade abwickeln. Es handelt sich um …«, ich bringe es kaum heraus, »Glazerbrooks.«

»Ach, Sie haben also schon davon gehört«, sagt Charles Conway gut gelaunt. »Schlechte Nachrichten verbreiten sich schnell.«

Vor meinen Augen dreht sich alles. Wie betäubt umklammere ich den Hörer.

»Was … gehört?« Meine Stimme klingt piepsiger, als mir lieb sein kann. »Ich habe gar nichts gehört.«

»Ach! Ich dachte, Sie rufen deshalb an.« Er unterbricht sich, und ich höre wie er jemanden anfaucht, er solle, verdammt noch mal, bei Google nachsehen. »Ja, heute wurde die Konkursverwaltung eingeschaltet. Der letzte Rettungsversuch ist offenbar in die Hose gegangen …«

Er redet weiter, doch ich höre ihn nicht mehr. Ein jähes Schwindelgefühl hat mich erfasst. Vor meinen Augen tanzen schwarze Flecken.

Glazerbrooks hat Konkurs angemeldet. Jetzt kann ich mir den Neuantrag an den Hut stecken. Den werden die mir nie unterschreiben, nie und nimmer.

Und ich kann das Darlehen auch nicht mehr absichern lassen.

Ich kann nichts mehr tun.

Durch meine Schuld verliert die Third Union jetzt fünfzig Millionen Pfund.

In meinem Kopf schwirrt es. Am liebsten würde ich wimmern vor Panik. Am liebsten würde ich den Hörer wegwerfen und davonlaufen.

Charles Conways Stimme dringt wieder in mein Bewusstsein.

»Gut, dass Sie anrufen.« Ich höre, wie er unbekümmert auf seine Tastatur einhämmert. »Vielleicht überprüfen Sie eben noch mal die Absicherung dieses Darlehens.«

Ich kann einen Moment nichts sagen. Meine Kehle ist wie zugeschnürt.

»Ja«, krächze ich schließlich. Und lege auf. Ich zittere am ganzen Körper. Ich habe das Gefühl, mich gleich übergeben zu müssen.

Ich habe so was von Scheiße gebaut.

Jetzt ist alles aus.

Jetzt kann ich nicht mal mehr …

Ohne zu wissen, was ich tue, schiebe ich meinen Stuhl zurück. Ich muss hier raus. Bloß weg.

5

Wie auf Autopilot wanke ich an der Rezeption vorbei und aus dem Gebäude. Hinaus auf die in der Mittagshitze brütende Straße, eine Arbeiterbiene unter vielen anderen Arbeiterbienen, die zum Lunch eilen.

Bloß, ich bin anders. Ich habe gerade fünfzig Millionen Pfund in den Sand gesetzt.

Fünfzig Millionen. Die Worte hämmern in meinem Schädel wie Kopfschmerzen.

Ich begreife nicht, wie das passieren konnte. Ich begreife es einfach nicht. Ich kann an nichts anderes denken. Wieder und wieder, wie besessen. Wie konnte ich so etwas nur übersehen …

Ich habe das Memo heute überhaupt zum ersten Mal zu Gesicht bekommen. Das muss in meiner Abwesenheit auf meinem Schreibtisch gelandet und irgendwie zugedeckt worden sein. Von einer Akte, vielleicht, einem Vertrag, einer Tasse Kaffee.

Ein Fehler. Ein einziger lausiger Fehler. Der einzige Fehler, den ich mir je geleistet habe. Könnte ich nicht einfach aufwachen und feststellen, dass alles nur ein böser Traum war? Dass es jemand anders passiert ist, wie in einem Film? Dass ich die Geschichte am Abend zuvor im Pub gehört habe, heilfroh darüber, dass das Schicksal nicht so grausam zu mir ist …

Aber es ist ausgerechnet mir passiert. Ich bin die Dumme. Ich und sonst keiner. Damit wäre meine Karriere endgültig gestorben. Aus und vorbei. Bei Carter Spink hat es so etwas das letzte Mal 1983 gegeben. Ted Stephens hieß der Mann, der zehn Millionen in den Sand setzte. Er war auf der Stelle entlassen worden.

Und ich habe unseren Klienten fünfmal so viel gekostet.

Unwillkürlich fange ich an zu keuchen, mir wird schwindlig, ich habe das Gefühl, gleich ersticken zu müssen. Höchstwahrscheinlich eine Panikattacke. Ich lasse mich auf die nächste Bank sinken und warte, bis es mir wieder besser geht.

Okay, es geht mir nicht besser. Es geht mir noch schlechter.

Plötzlich beginnt mein Handy zu vibrieren, und ich mache einen erschrockenen Satz. Ich ziehe es aus der Tasche und schaue aufs Display. Es ist Guy.

Ich kann jetzt nicht mit ihm reden. Ich kann mit niemandem reden. Jetzt nicht.

Kurz darauf teilt mir das Handy mit, dass eine Nachricht hinterlassen wurde. Ich hebe das Telefon ans Ohr und drücke die »1« zum Abhören.

»Samantha!«, tönt mir Guys fröhliche Stimme entgegen. »Wo steckst du? Wir warten hier alle mit dem Champagner, um auf unsere frischgebackene Seniorpartnerin anzustoßen!«

Die Partnerschaft. Ich könnte heulen. Aber … nein. Dafür ist die Sache … zu schlimm. Ich stecke das Handy wieder weg und rapple mich auf die Beine. Dann gehe ich los, einfach los, schneller, immer schneller, an den Passanten vorbei, ohne auf die seltsamen Blicke zu achten, die man mir zuwirft. In meinem Kopf hämmert es wie verrückt. Ich habe keine Ahnung, wo ich hingehe. Nur nicht stehen bleiben.

Es kommt mir vor, als wäre ich schon stundenlang unterwegs. Vollkommen betäubt, wie blind stolpere ich dahin. Die Sonne brennt unbarmherzig auf mich nieder, die Gehsteige sind staubig, und mein Schädel brummt immer noch. Irgendwann vibriert mein Handy, aber ich achte nicht darauf.

Als mir die Beine schließlich den Dienst versagen, verlangsame ich meine Schritte und bleibe endlich ganz stehen. Mein Mund ist staubtrocken, ich brauche unbedingt einen Schluck Wasser. Ich blicke auf, versuche mich zu orientieren. Irgendwie scheine ich ausgerechnet am Bahnhof Paddington gelandet zu sein.

Wie ein Roboter lenke ich meine Schritte zum Eingang und gehe hinein. Drinnen ist es laut und voller Leute. Reisende drängeln sich an mir vorbei. Die Leuchtstoffröhren blenden, die Klimaanlage lässt mich frösteln, und die Lautsprecheransage dröhnt in meinen Ohren. Als ich gerade zu einem der Kioske gehen will, um mir eine Flasche Wasser zu kaufen, vibriert erneut mein Handy. Ich hole es hervor und schaue aufs Display. Fünfzehn Anrufe und eine weitere Nachricht von Guy, die er vor zwanzig Minuten hinterlassen hat.

Zögernd, das Herz klopft mir bis zum Hals, drücke ich auf die »1«.

»Herrgott noch mal, Samantha, was hast du bloß angestellt?«

Jetzt klingt er gar nicht mehr freundlich, nur noch genervt. Eiskalte Angst packt mich.

»Wir wissen Bescheid«, fährt er fort. »Verstehst du? Wir wissen das mit der Third Union. Charles Conway hat sich gemeldet. Und dann hat Ketterman die Unterlagen auf deinem Schreibtisch gefunden. Du musst sofort herkommen. *Sofort.* Ruf mich an.«

Ich kann mich nicht rühren. Ich bin wie gelähmt vor Angst.

Sie wissen es. Alle wissen es.

Wieder tauchen schwarze Flecken vor meinen Augen auf. Mir wird speiübel. Ganz Carter Spink weiß Bescheid. Alle wissen, dass ich eine Riesenscheiße gebaut habe. Das wird sich in Windeseile herumsprechen, per Telefon, per E-Mail, tuschel-tuschel, *habt ihr schon gehört? Mein Gooott …*

Plötzlich drängt sich aus den Augenwinkeln eine Bewegung in mein Bewusstsein. Ein bekanntes Gesicht. Ich drehe den Kopf und spähe zu dem Mann hinüber. Wer ist das noch mal? Ein Schrecken durchzuckt mich.

Greg Parker. Er gehört zu den Seniorpartnern. Teurer Anzug, das Handy am Ohr, die Stirn besorgt gerunzelt, durchmisst er mit langen Schritten die Bahnhofshalle.

»Und wo *ist* sie jetzt?«, höre ich ihn sagen.

Neuerliche Panik durchzuckt mich wie ein Blitzschlag. Ich muss mich verstecken. Sofort. Bevor er mich noch sieht. Verstohlen ducke ich mich hinter eine megadicke Frau in einem beigen mantelartigen Teil. Leider bleibt sie nicht stehen, und da ich unbedingt in Deckung bleiben will, wird es ein kleines Tänzchen, sie einen Schritt, ich einen Schritt.

Schließlich fährt sie zornig zu mir herum und mustert mich aus misstrauisch verengten Schweinsäuglein.

»Was wollen Sie von mir? Betteln Sie, oder was?«

»Nein!«, erwidere ich schockiert. »Ich … äh …«

Ich kann ja schlecht sagen, »ich verstecke mich hinter Ihnen«.

»Dann lassen Sie mich gefälligst in Ruhe!« Zornig watschelt sie auf das nächste Café zu. Das Herz schlägt mir bis zum Hals. Jetzt stehe ich da wie auf dem Präsentierteller, mitten in der Bahnhofshalle. Greg Parker hat inzwischen angehalten. Er steht keine fünfzig Meter von mir entfernt und spricht eifrig in sein Handy.

Wenn ich mich rühre, sieht er mich. Wenn ich mich nicht rühre … sieht er mich auch.

Auf der großen Anzeigetafel tauchen ratternd die Abfahrtszeiten der nächsten Züge auf. Eine Touristengruppe, die erwartungsvoll hinaufgestarrt hat, nimmt die Koffer zur Hand und macht sich auf den Weg zu Bahnsteig neun.

Ohne zu überlegen schließe ich mich an. In ihrer Mitte verborgen, lasse ich mich durch das offene Gatter schwemmen. Ich steige in den wartenden Zug und gehe so weit wie möglich durch die Abteile nach vorne.

Der Zug fährt los. Dankbar lasse ich mich auf den nächstbesten freien Sitz sinken. Mir gegenüber sitzt eine Familie. Alle haben T-Shirts vom Londoner Zoo an. Alle lächeln mir zu –

und irgendwie schaffe ich es, zurückzulächeln. Das Ganze kommt mir wie ein Traum vor. Das kann nicht wahr sein.

»Erfrischung gefällig?« Ein verhutzelter alter Mann mit einem Rollwagen taucht neben mir auf und strahlt mich an. »Sandwichs, Tee, Kaffee, alkoholfreie und alkoholische Getränke?«

»Letzteres, bitte.« Ich versuche nicht allzu gierig zu klingen. »Einen Doppelten. Egal von was.«

Niemand kontrolliert mein Ticket. Niemand behelligt mich. Der Zug scheint eine Art Express zu sein. Vororte gehen in Ackerland über, und der Zug rattert ungerührt weiter. Inzwischen habe ich drei kleine Flaschen Gin intus, eine mit Orangensaft, eine mit Tomatensaft und eine mit irgend so einem komischen Joghurtdrink. Alles ist in wattegepackte Ferne gerückt.

Ich habe den schwersten Fehler meines Lebens gemacht. Einen Fehler, der mich höchstwahrscheinlich den Job kostet. Und Seniorpartner werde ich jetzt auch nie mehr.

Ein einziger dummer Fehler.

Die Familie mit den Zoo-T-Shirts hat Chipstüten aufgemacht und mir auch was angeboten. Sie haben mich gefragt, ob ich beim Reise-Scrabble mitmachen will, und die Mutter hat sich sogar erkundigt, ob ich geschäftlich oder privat unterwegs sei.

Ich konnte mich zu keiner Antwort durchringen.

Mein Puls hat sich zwar inzwischen wieder beruhigt, doch jetzt habe ich höllische Kopfschmerzen, ein hässliches Pochen im Schädel. Die Augen vor der einfallenden Sonne abschirmend, sitze ich da wie ein Zombie.

»Meine Damen und Herren ...«, ertönt die Stimme des Schaffners laut knackend aus dem Lautsprecher, »aufgrund von Gleisbauarbeiten ... unglücklicherweise ... alternatives Transportmittel umsteigen ...«

Ich kapiere nicht, was er da schwafelt. Ich weiß ja nicht einmal, wo ich überhaupt hinfahre. Ich werde einfach beim nächsten Halt aussteigen und weitersehen.

»Nein, Rosine buchstabiert sich anders«, sagt die Zoomutter gerade zu einem Sprössling, als der Zug auch schon langsamer wird. Ich blicke auf und sehe, wie wir in einen Bahnhof einfahren. Lower Ebury steht da. Alle suchen ihre Sachen zusammen und steigen aus.

Ich folge immer noch wie ein ferngesteuerter Zombie der Zoofamilie. Draußen blicke ich mich erst einmal um. Es ist ein niedlicher kleiner Bahnhof, mitten auf dem Lande, gegenüber ein Pub namens *The Bell*. Die Straße verliert sich in beiden Richtungen in einer langen Kurve. In der Ferne ist Ackerland zu erkennen. An der Straße steht ein Bus, in den die Leute aus dem Zug einsteigen.

Die Zoomutter dreht sich zu mir um und sagt freundlich: »Da müssen Sie rein. Wenn Sie nach Gloucester wollen? Zum großen Bahnhof?«

Beim Gedanken, in einen Bus steigen zu müssen, wird mir speiübel. Ich will keinen Bus. Ich will eine Kopfschmerztablette. Mein Schädel fühlt sich an, als wolle er jeden Moment wie eine reife Melone aufplatzen.

»Äh … nein, danke. Ich bleibe hier, danke noch mal.« Ich lächle so überzeugend wie möglich. Bevor sie noch etwas sagen kann, wende ich mich ab und wanke davon.

Ich habe nicht die blasseste Ahnung, wo ich bin.

Mein Handy fängt plötzlich wieder an zu vibrieren. Ich nehme es heraus. Schon wieder Guy. Das muss das dreißigste Mal sein, dass er anruft. Und jedes Mal hat er eine Nachricht hinterlassen, ich soll ihn zurückrufen und ob ich seine E-Mails gekriegt hätte.

Habe ich nicht. Ich war derart von der Rolle, als ich mein Büro verließ, dass ich meinen BlackBerry einfach auf dem

Schreibtisch liegen gelassen habe. Das Handy ist alles, was mir geblieben ist. Es vibriert erneut, und ich starre es sekundenlang an. Dann hebe ich es ans Ohr und drücke auf den Sprechknopf. Mein Magen ist ein einziger Knoten.

»Hallo.« Meine Stimme ist noch immer ganz kratzig. »Äh ... ich bin's.«

»Samantha?« Seine fassungslose Stimme dröhnt in meinem Ohr. »Bist du das? Wo zum Teufel steckst du?«

»Weiß ich nicht. Ich ... ich musste weg. Ich ... stehe unter Schock ...«

»Samantha, ich habe andauernd versucht, dich zu erreichen. Hast du meine Nachrichten abgehört? Also ...« Er zögert. »Es ist heraus. Alle wissen es.«

»Ich weiß.« Ich sinke gegen ein verfallenes altes Mäuerchen, drücke die Augen zu und versuche die hämmernden Kopfschmerzen zu ignorieren. »Ich weiß.«

»Wie ist das bloß *passiert*?« Er klingt so geschockt, wie ich mich fühle. »Wie zum Teufel konntest du so einen Anfängerfehler machen? Ich meine, Menschenskind, Samantha –«

»Ich weiß nicht«, stoße ich wie betäubt hervor. »Ich hab's ... hab's einfach nicht gesehen. Es war ein Fehler –«

»Aber du machst doch nie Fehler!«

»Offensichtlich schon!« Ich merke, wie mir die Tränen kommen, und blinzle sie heftig zurück. »Was ... was passiert jetzt?«

»Sieht schlimm aus.« Er stößt geräuschvoll den Atem aus. »Ketterman hat schon mit Glazerbrooks' Anwälten gesprochen und auch mit der Bank ... und der Versicherung natürlich. Er tut, was er kann, um den Schaden zu begrenzen.«

Ach ja, die Versicherung. Die Firmenversicherung. Ich werde jäh von wilder Hoffnung gepackt. Wenn die Versicherung ohne Zicken zahlt, wird es vielleicht doch nicht so schlimm, wie ich dachte.

Aber im Grunde ist mir klar, dass dies naive Hirngespinste

sind. Versicherungen ersetzen nie den ganzen Schaden. Oft spucken sie überhaupt nichts aus. Und manchmal werden die Prämien danach derart erhöht, dass sie nicht mehr zu bezahlen sind.

»Was sagt die Versicherung?« Ich schlucke. »Wird sie …«

»Sie haben noch gar nichts gesagt.«

»Ach so, ja, natürlich.« Ich wische mir den Schweiß von der Stirn, nehme all meinen Mut zusammen und stelle die nächste Frage. »Und was wird aus … mir?«

Guy schweigt.

Und das ist Antwort genug. Ich spüre, wie ich wanke, als würde ich jeden Moment in Ohnmacht fallen. Ich öffne die Augen und sehe zwei kleine Jungs auf Fahrrädern, die mich ängstlich anstarren.

»Es ist aus, nicht?« Ich bemühe mich um einen möglichst ruhigen Ton, kann aber das Zittern in meiner Stimme beim besten Willen nicht mehr verbergen. »Meine Karriere ist aus und vorbei.«

»Das … das weiß ich nicht. Hör zu, Samantha, du hast durchgedreht. Völlig verständlich. Aber du kannst dich nicht verstecken. Du musst zurückkommen.«

»Ich kann nicht.« Meine Stimme quiekt förmlich. »Ich kann das nicht – mich vor alle hinstellen.«

»Samantha, sei vernünftig!«

»Ich kann nicht! Ich kann einfach nicht! Ich brauche ein bisschen Zeit …«

»Saman-« Ich klappe mein Handy zu.

Mir ist ganz schwach. Mein Schädel platzt. Ich brauche unbedingt einen Schluck Wasser. Aber das Pub sieht nicht so aus, als ob es offen hätte, und irgendwelche Geschäfte sind auch nicht auszumachen.

Ich wanke die Straße entlang, bis ich ein Tor erreiche, das von zwei Löwen auf hohen Sockeln flankiert wird. Ah, ein

Haus. Ich werde einfach klingeln und um eine Kopfschmerz-tablette und ein Glas Wasser bitten. Und fragen, ob es in der Nähe ein Hotel gibt.

Ich stoße die gusseisernen Torflügel auf und wanke über den knirschenden Kiesweg auf die wuchtige schwarze Eichentür zu. Es ist eher ein Landsitz als ein Haus, aus honigfarbenem Stein mit hohen Giebeln und schlanken Kaminen. In der Auffahrt stehen zwei Porsche. Ich hebe die Hand und betätige den Klingelzug.

Stille. Ich warte eine Weile, doch es rührt sich nichts, das Haus wirkt wie verlassen. Als ich gerade aufgeben und den Kiesweg zum Tor zurückschlurfen will, geht plötzlich die Tür auf.

Vor mir steht eine Frau mit blonden, schulterlangen, gelockten Haaren, die starr vor Haarspray sind. An den Ohren baumeln riesige Ohrringe. Sie ist stark geschminkt und trägt eine Seidenhose in einem eher gewöhnungsbedürftigen Pfirsichton. In der einen Hand hält sie eine Zigarette, in der anderen ein Cocktailglas.

»Hallo.« Sie nimmt einen Zug und mustert mich misstrauisch. »Hat die Agentur Sie hergeschickt?«

6

Keine Ahnung, was diese Frau meint. Mein Kopf tut so weh, dass ich kaum aus den Augen schauen, geschweige denn irgendetwas verstehen kann.

»Geht's Ihnen nicht gut?« Sie späht mich forschend an. »Sie sehen schrecklich aus!«

»Ich habe ziemlich schlimme Kopfschmerzen«, stammle ich. »Hätten Sie vielleicht ein Glas Wasser für mich?«

»Selbstverständlich! Kommen Sie rein!« Sie wedelt mit ihrer

Zigarette vor meinem Gesicht herum und bittet mich in eine große, ziemlich beeindruckende Eingangshalle mit einem Gewölbe.

»Sie müssen sich das Haus ohnehin ansehen. *Eddie?*«, kreischt sie. »Eddie, da ist noch eine! Ich bin Trish Geiger«, fügt sie an mich gewandt hinzu. »Sie können mich einfach Mrs. Geiger nennen. Hier entlang, wenn ich bitten darf ...«

Sie führt mich in eine luxuriöse Küche mit Ahornholzfronten, wo sie, offensichtlich auf gut Glück, ein paar Schubladen öffnet und schließlich »Aha!« ausruft. Sie holt eine Plastikbox heraus und öffnet den Deckel. Darinnen befindet sich ein riesiges Sammelsurium an Pillenröhrchen, -fläschchen und Tablettenschachteln. Mit ihren blutrot lackierten Fingernägeln kramt sie darin herum.

»Ich hätte da Aspirin ... Paracetamol ... Ibuprofen ... Valium – *sehr* mildes ...« Sie hält eine leuchtend rote Pille hoch. »Die ist aus Amerika«, sagt sie fröhlich. »Hierzulande verboten.«

»Das ist ... äh ... nett«, stammle ich. »Sie haben aber viele Tabletten.«

»Ach ja, damit sind wir immer gut versorgt! Tabletten kann man gar nicht genug im Haus haben, sage ich immer!« Sie wirft mir einen durchdringenden Blick zu. »*Eddie*!«, kreischt sie wieder. Dann gibt sie mir drei grüne Tabletten und findet, nach einigem Suchen, den Schrank mit den Gläsern. »Ah ja. Sie werden sehen, damit kriegen Sie die stärksten Kopfschmerzen im Nu weg.« Sie lässt gekühltes Wasser aus dem Spender im Kühlschrank in das Glas laufen und reicht es mir. »Hier, schön austrinken.«

»Danke«, sage ich und schlucke die Tabletten runter. »Ich bin Ihnen so dankbar. Mir platzt fast der Schädel. Ich kann kaum einen klaren Gedanken fassen.«

»Ihr Englisch ist sehr gut.« Sie mustert mich neugierig. »Wirklich ausgezeichnet!«

»Ach«, sage ich verblüfft. »Meinen Sie? Nun, ich bin Engländerin. Das ... das könnte der Grund sein.«

»Sie sind *Engländerin*?« Das scheint Trish Geiger von den Socken zu hauen. »So was! Kommen Sie, setzen Sie sich. Die wirken in einer Minute, Sie werden sehen. Und falls nicht, gebe ich Ihnen noch ein paar.«

Sie führt mich aus der Küche, durch die Halle und in einen anderen Raum. »Der Salon«, erklärt sie näselnd und bleibt im Türrahmen stehen. Mit einer ausholenden Geste weist sie auf das weiträumige, imposante Zimmer, wobei etwas Asche von ihrer Zigarette auf den Teppich bröselt. »Wie Sie selbst sehen, gibt's hier jede Menge abzustauben ... zu saugen ... Silber zu putzen ...« Erwartungsvoll sieht sie mich an.

»Richtig.« Ich nicke. Ich habe keine Ahnung, warum diese Frau sich genötigt fühlt, mich ausführlich über ihre hausfraulichen Tätigkeiten zu informieren, doch sie scheint eine Reaktion von mir zu erwarten.

»Was für ein wunderschöner Tisch«, sage ich schließlich und deute auf einen blank gewienerten Mahagonitisch.

»Ja, der muss regelmäßig mit Möbelpolitur gepflegt werden.« Ihre Augen verengen sich. »*Regelmäßig*. So was merke ich.«

»Äh ... kann ich verstehen.« Ich nicke verwirrt.

»Hier lang.« Sie führt mich durch einen weiteren saalartigen Raum in einen hellen, sonnigen Wintergarten mit opulenten Teakholzmöbeln, Farnen und Palmwedeln. Und einer gut bestückten kleinen Bar auf einem Tablett.

»Eddie! Wir sind hier!« Sie hämmert ans Fensterglas, und ich sehe einen Mann in Golfhosen über den gepflegten englischen Rasen auf uns zukommen. Er ist braun gebrannt und wirkt gutsituiert. Ich würde ihn auf Ende vierzig schätzen.

Nach Trishs Krähenfüßen zu schließen, würde sie ebenfalls in diese Alterskategorie passen. Obwohl mir eine innere Stimme sagt, dass sie höchstens neununddreißig und keinen Tag mehr zugeben würde.

»Schöner Garten«, sage ich.

»Ach ja.« Sie betrachtet ihn ohne großes Interesse. »Wir haben einen vorzüglichen Gärtner. Hat ständig neue Ideen. So setzen Sie sich doch!« Sie wedelt mit den Händen, und ich lasse mich, ein wenig verlegen, auf ein Sofa sinken. Trish nimmt in einem Korbstuhl mir gegenüber Platz und trinkt ihren Cocktail aus.

»Können Sie einen Bloody Mary mixen?«, erkundigt sie sich abrupt.

Ich starre sie verwirrt an.

»Egal.« Sie pafft an ihrer Zigarette. »Ich kann's Ihnen beibringen.«

Sie kann *was*?

»Was machen die Kopfschmerzen?« Und bevor ich antworten kann, sagt sie: »Besser? Ah, da ist ja Eddie!«

»Gott zum Gruß!« Die Tür geht auf, und Mr. Geiger betritt den Wintergarten. Aus der Nähe sieht er nicht annähernd so beeindruckend aus wie vorhin, als er über den Rasen lief. Seine Augen sind leicht blutunterlaufen, und er hat einen kleinen Bierbauch.

»Eddie Geiger«, stellt er sich jovial vor und streckt mir die Hand hin. »Der Herr des Hauses.«

»Eddie, das ist …« Trish schaut mich überrascht an. »Wie war noch mal der Name?«

»Samantha«, erkläre ich. »Ich bedaure sehr, Sie gestört zu haben, aber ich hatte so schreckliche Kopfschmerzen …«

»Ich habe Samantha ein paar von diesen verschreibungspflichtigen Schmerztabletten gegeben«, wirft Trish ein.

»Ah, gute Wahl.« Eddie schraubt eine Scotchflasche auf und schenkt sich einen Drink ein. »Sie sollten mal die roten versuchen, die hauen einen glatt um!«

75

»Äh … gut.«

»Nicht wörtlich, natürlich!« Er stößt ein kurzes, bellendes Lachen aus. »Wir wollen Sie ja nicht umbringen!«

»Eddie!« Trish gibt ihm mit klirrenden Armbändern einen Klaps. »Du machst ihr Angst!«

Beide mustern mich neugierig. Ich habe das Gefühl, dass ich irgendetwas sagen sollte.

»Ich bin Ihnen wirklich sehr zu Dank verpflichtet.« Ich ringe mir ein Halblächeln ab. »Ich wollte Sie gewiss nicht stören.«

»Ihr Englisch ist ziemlich gut, nicht?« Eddie blickt Trish mit hochgezogener Braue an.

»Sie ist Engländerin!«, trillert Trish, als hätte sie soeben ein Kaninchen aus einem Hut hervorgezaubert. »Versteht alles, was ich sage!«

Ich scheine irgendwie auf der Leitung zu stehen. Sehe ich etwa aus wie eine Ausländerin?

»Na, wie wär's jetzt mit einer Führung durchs Haus?« Eddie blickt Trish fragend an.

Mir sinkt der Mut. Leute, die einen andauernd durchs Haus führen wollen, gehören meiner Meinung nach abgeschafft. Die Vorstellung, durchs ganze Haus dackeln, in jedes Zimmer schauen und zu allem etwas sagen zu müssen, ist mehr als ich ertragen kann. Alles, was ich will, ist, hier ruhig sitzen zu bleiben, jedenfalls so lange bis die Tabletten wirken.

»Ehrlich – das ist doch nicht nötig«, setze ich an. »Ich kann mir denken, dass es wunderschön –«

»Aber natürlich ist es nötig!« Trish drückt ihre Zigarette aus. »Kommen Sie.«

Als ich aufstehe, dreht sich plötzlich alles und ich muss mich an einem Gummibaum festhalten, um nicht umzukippen. Die Schmerzen lassen allmählich nach, aber jetzt fühlt sich mein Kopf an, als wäre Watte darin, alles unwirklich, irreal. Wie eine Art Traum.

Oookay, diese Frau scheint kein eigenes Leben zu haben. Alles, woran sie denken kann, ist Hausarbeit, Hausarbeit, Hausarbeit. Während wir endlose Räume besichtigen, einer luxuriöser als der andere, hört sie nicht auf, mich ständig auf irgendwelche Möbel oder Gegenstände hinzuweisen, die besonders gründlich abgestaubt oder geputzt gehören. Dann zeigt sie mir gar, wo der Staubsauger steht. Und jetzt »besichtigen« wir gerade die Waschmaschine. Es ist nicht zu fassen.

»Wirklich … ein gutes Gerät«, sage ich, da sie auf irgendeine Reaktion meinerseits zu warten scheint. »Äußerst … funktionstüchtig.«

»Bei uns wird die Bettwäsche jede Woche gewechselt. Gewaschen *und* gebügelt, natürlich.« Sie wirft mir einen scharfen Blick zu.

»Äh, selbstverständlich.« Ich nicke, um mir meine Verwirrung nicht anmerken zu lassen. »Gute Idee.«

»Und jetzt nach oben!« Sie rauscht aus der Küche.

O Gott. Da gibt's noch mehr?

»Sie kommen aus London, Samantha?«, erkundigt sich Eddie Geiger, als wir die Treppe hinaufgehen.

»Das stimmt.«

»Und Sie haben dort eine Stellung?«

Er will nur höflich sein – aber einen Augenblick lang kann ich mich nicht zu einer Antwort überwinden. Habe ich noch eine Stellung?

»Ich hatte eine«, sage ich schließlich. »Aber um ehrlich zu sein … ich bin mir über meine derzeitige Situation nicht ganz im Klaren.«

»Und wie viel Stunden arbeiten Sie gewöhnlich?« Trish fährt mit plötzlich erwachtem Interesse zu uns herum.

»Och, ich weiß nicht. Eigentlich immer.« Ich zucke die Achseln. »Den ganzen Tag und meistens auch noch in den Abend hinein. Manchmal auch die Nacht durch.«

Die Geigers starren mich mit offenem Mund an. Die meisten Menschen haben keine Ahnung, wie das Leben eines Rechtsanwalts aussieht.

»Sie haben *die ganze Nacht durchgearbeitet*?« Trish will es nicht glauben. »Sie allein?«

»Ich und die Kollegen. Wer immer gebraucht wurde.«

»Dann war das also … eine größere Einrichtung?«

»Eine der größten in London.« Ich nicke.

Trish und Eddie wechseln bedeutungsvolle Blicke. Was für seltsame Leutchen.

»Nun, es wird Sie freuen zu hören, dass es bei uns *viel* relaxter zugeht!« Trish stößt ein kurzes Lachen aus. »Hier ist unser Schlafzimmer … das zweite Schlafzimmer …«

Wir touren durch zahllose Schlafzimmer. Ich muss mir jede Menge Himmelbetten und handgefertigte Vorhänge ansehen, bis mir der Kopf noch mehr schwirrt, als ohnehin schon. Ich weiß nicht, was in diesen Tabletten war, aber ich fühle mich von Minute zu Minute seltsamer.

»Das grüne Schlafzimmer … Wie Sie sicher bereits wissen, haben wir weder Kinder noch Haustiere … Rauchen Sie?« Trish pafft energisch an ihrer Zigarette.

»Äh … nein. Trotzdem danke.«

»Nicht, dass wir was dagegen hätten.«

Wir gehen eine schmale Treppe hinunter. Plötzlich muss ich mich an der Wand abstützen, doch auch die Blümchentapete scheint vor mir davonzurennen.

»Geht's Ihnen nicht gut?« Eddie fängt mich auf, bevor ich die Treppe runterfallen kann.

»Ich fürchte, diese Schmerztabletten waren ein bisschen stark«, murmle ich.

»Ja, sind ganz schöne Hämmer.« Trish mustert mich nachdenklich. »Sie haben doch heute nicht etwa *Alkohol* getrunken?«

»Äh ... doch.«

»Ah!« Sie verzieht das Gesicht. »Nun ja, das geht schon, so lange Sie nicht anfangen, im Suff mit sich selbst zu reden. Dann müssten wir nämlich den Arzt rufen. Und ... da wären wir schon!« Schwungvoll öffnet sie die letzte Tür. »Die Dienstbotenunterkünfte.«

Alle Zimmer in diesem Haus sind riesig. In dieses hier würde glatt mein Apartment reinpassen. Cremefarbene Wände, die Fenster mit steinernem Zierwerk, Blick auf den Garten. Hier steht das schlichteste Bett, das ich bisher in diesem Hause gesehen habe: groß und klobig mit frischen, schneeweißen Laken.

Plötzlich muss ich gegen den überwältigenden Drang ankämpfen, mich einfach auf das Bett sinken zu lassen und einzuschlafen.

»Nett«, sage ich höflich. »Ein wirklich hübsches Zimmer.«

»Gut!« Eddie klatscht in die Hände. »Okay, Samantha. Ich würde sagen, Sie haben den Job!«

Ich starre ihn durch den Nebel in meinem Hirn verwirrt an.

Job?

Welcher Job?

»Eddie!«, keift Trish. »Du kannst ihr doch nicht so einfach die Stellung anbieten! Das Bewerbungsgespräch ist doch noch gar nicht beendet!«

Bewerbungsgespräch?

Ist mir irgendwas entgangen?

»Wir haben ihr doch noch nicht mal gesagt, was sie machen soll!« Trish hat Eddie immer noch am Wickel. »Wir sind doch noch gar nicht in die Einzelheiten gegangen!«

»Na ja, dann besprecht das eben jetzt!«, entgegnet Eddie. Trish schießt ihm einen giftigen Blick zu und räuspert sich.

»Also, Samantha«, sagt sie in kühlem, formellem Ton, »Ihre Stellung als Haushälterin umfasst –«

»Wie bitte?« Ich starre sie fassungslos an.

Trish gibt ein ungehaltenes Zungenschnalzen von sich. Langsam, als wäre ich ein wenig schwer von Begriff, wiederholt sie: »Ihre Stellung als Haushälterin umfasst alles, was im Haus an Putzarbeiten anfällt, die Wäsche und das Kochen. Sie bekommen von uns Dienstkleidung, die Sie bei der Arbeit bitte ständig tragen mögen, dazu erwarten wir ein höfliches, respektvolles Auftreten …«

Meine Stellung als –

Glauben diese Leute etwa, ich würde mich um eine Arbeit als *Haushälterin* bewerben?

Ich bin sprachlos.

»… freie Unterkunft und Verpflegung«, brabbelt Trish weiter, »und vier Wochen Urlaub im Jahr.«

»Was zahlen wir ihr?«, fragt Eddie interessiert. »Zahlen wir ihr mehr als dem letzten Mädchen?«

Trish sieht aus, als wolle sie ihren Ehemann hier und jetzt ermorden.

»Sie entschuldigen uns ein *klitzekleines* Momentchen, Samantha!« Bevor ich auch nur den Mund aufmachen kann, hat sie Eddie schon aus dem Zimmer gezerrt und die Tür hinter sich zugeschlagen. Von draußen dringt eine zwar gedämpft geführte, dafür aber umso hitzigere Debatte herein.

Ich blicke mich um und versuche einen klaren Gedanken zu fassen.

Sie halten mich für eine Haushälterin. Eine Haushälterin! Einfach lächerlich. Ich muss das richtig stellen. Ich muss dieses Missverständnis aufklären.

Wieder erfasst mich heftiger Schwindel, und ich lasse mich aufs Bett sinken. Dann, bevor ich mich davon abhalten kann, habe ich mich auch schon ausgestreckt. Einfach himmlisch. Als würde man in einer weichen, kuscheligen Wolke versinken.

Ich will nie wieder aufstehen. Dieses Bett ist meine Zuflucht.

Was für ein Tag. Was für ein langer, alptraumhafter, furchtbarer Tag. Wenn er doch nur schon vorbei wäre.

»Samantha, Sie entschuldigen die kleine Unterbrechung.« Ich schlage die Augen auf und kämpfe mich mühsam hoch. Trish ist wieder hereingekommen, Eddie steht mit hochrotem Kopf neben ihr. »Bevor wir fortfahren, haben Sie irgendwelche Fragen bezüglich dieser Stellung?«

Ich starre sie an. Mein Kopf schwirrt wie ein Karussell.

Dies ist der Moment, wo ich erklären sollte, dass es sich um einen bedauerlichen Irrtum handelt. Dass ich keine Haushälterin bin, sondern Rechtsanwältin.

Aber mir will kein Ton über die Lippen kommen.

Ich will nicht weg. Ich will mich in dieses Bett kuscheln und alles um mich herum vergessen.

Ich könnte über Nacht hier bleiben, schießt es mir durch den nebligen Kopf. *Bloß die eine Nacht. Morgen kann ich immer noch alles aufklären.*

»Äh … könnte ich vielleicht schon heute Abend anfangen?«, höre ich mich sagen.

»Ich wüsste nicht, was dagegen –«, hebt Eddie an.

»Wir wollen nichts überstürzen«, unterbricht Trish forsch. »Immerhin haben wir eine ganze Reihe von *vielversprechenden* Bewerberinnen um diesen Posten, Samantha. Manche davon brillant, wissen Sie. Eins der Mädchen ist sogar eine diplomierte Cordon-Bleu-Köchin!«

Sie pafft an ihrer Zigarette und mustert mich mit einem herausfordernden Blick. Und in mir versteift sich etwas, ganz automatisch, wie ein Reflex. Ich kann nichts dagegen tun. Es ist stärker als ich, sogar stärker als mein Wunsch, mich einfach auf diesen weichen weißen Laken auszustrecken.

Will sie damit andeuten …

Will sie etwa andeuten, dass ich den Job *nicht* kriegen könnte?

Ich halte Trishs Blick einige Sekunden lang stand. Irgendwo, in all der Watte, dem Nebel und dem Schock, reckt ein Überbleibsel der alten Samantha den Kopf. Ja, ich spüre wie sich mein Ehrgeiz vom Sterbelager erhebt, wie er die Nüstern in den Wind reckt und Witterung aufnimmt. Wie er die Ärmel aufkrempelt und in die Hände spuckt. Ich werde doch wohl noch irgend so ein billiges Cordon-Bleu-Flittchen schlagen!

Ich habe bisher noch nie in einem Bewerbungsgespräch versagt.

Und das soll auch so bleiben.

»Also.« Trish wirft einen Blick auf ihre Liste. »Dann verstehen Sie sich also auf alle Arten von Wäsche?«

»Ich habe in der Schule sogar einen Preis im Wäschewaschen gewonnen«, erwidere ich mit einem bescheidenen Nicken. »Das hat mich eigentlich erst auf den Gedanken gebracht, diesen Berufsweg einzuschlagen.«

»Was Sie nicht sagen!« Trish ist zutiefst beeindruckt. »Und wie steht's mit Cordon Bleu?«

»Ich bin beim großen Michel de la Roux de la Blanc höchstpersönlich in die Lehre gegangen.« Ich lege eine bedeutungsschwere Pause ein. »Und sein Name spricht ja offensichtlich für sich.«

»Offensichtlich!« Trish wirft Eddie einen unsicheren Blick zu.

Wir sitzen wieder im Wintergarten. Trish feuert eine Fragenkanonade auf mich ab, die klingt, als hätte sie sie einem Ratgeber mit dem Titel »Wie finde ich das richtige Hausmädchen?« entnommen. Und ich beantworte jede einzelne Frage mit ungebremstem Selbstbewusstsein.

Irgendwo, ganz hinten, in meinem Hinterkopf, schreit eine kleine Stimme: »Was machst du da, Samantha? Was um Himmels willen machst du bloß?«

Aber ich ignoriere sie. Ich will sie nicht hören. Ich habe es irgendwie geschafft, die Wirklichkeit, meine ruinierte Karriere, diesen ganzen, alptraumhaften Tag auszublenden ... alles, außer diesem Bewerbungsgespräch. In meinem Kopf dreht sich alles, und ich habe das Gefühl, ich muss jeden Moment umkippen, doch ein Teil von mir, ein stahlharter, entschlossener kleiner Kern *will diesen Job.*

»Was würden Sie beispielsweise ... für eine Dinnerparty kochen?«, erkundigt sich Trish nun, während sie sich eine neue Zigarette anzündet.

Irgendwas Beeindruckendes ... was sie umwirft ...

Auf einmal fällt mir die kleine Speisekarte mit meinem Geburtstagsmenü ein, die ich gestern Abend bei Maxim's als Souvenir bekommen habe.

»Warten Sie, ich werfe rasch einen Blick in meine Notizen.« Ich öffne den Reißverschluss meiner Tasche und überfliege verstohlen die Speisekarte. »Für ein formelles Dinner würde ich Folgendes servieren: ... äh ... Gänseleberpastete in Apricot-Glasur ... Gefülltes Lamm in Kräuterkruste ... gefolgt von Minzschokoladensoufflé und zwei hausgemachten Sorbets.«

Nimm *das*, Cordon-Bleu-Schlampe!

»Also!« Trish ist vollkommen platt. »Ich muss sagen, das ist höchst beeindruckend.«

»Wundervoll!« Eddie scheint förmlich das Wasser im Mund zusammenzulaufen. »Gänseleberpastete! Sie könnten uns das nicht vielleicht schnell zaubern?«

Trish wirft ihm einen gereizten Blick zu. »Ich gehe davon aus, dass Sie Referenzen haben, Samantha?«

Referenzen?

»Wir brauchen schon eine Referenz.« Trishs Stirn wirft tiefe Falten.

»Lady Freya Edgerly«, stoße ich hervor, einem plötzlichem Geistesblitz folgend. »Sie ist meine Referenz.«

»*Lady* Edgerly?« Trishs Augenbrauen erklimmen schwindelnde Höhen. Eine zarte Röte kriecht über ihren Hals in ihre Wangen.

»Ich bin mit Lord und Lady Edgerly schon seit vielen Jahren gut bekannt.« Ich nicke würdevoll. »Lady Edgerly wird für mich bürgen.«

Trish und Eddie starren mich mit offenen Mündern an. Vielleicht sollte ich noch irgendwas Haushälterisches hinzufügen.

»Eine reizende Familie«, schmücke ich die Dinge ein wenig aus. »Allerdings keine leichte Aufgabe, den Landsitz sauber zu halten. Und … all die Tiaras von Lady Edgerly zu polieren.«

Mist. Jetzt habe ich wohl ein wenig zu dick aufgetragen.

Zu meinem Erstaunen zeigt sich auf den Mienen meiner Gegenüber kein Hauch von Misstrauen.

»Sie haben also auch für sie gekocht?«, hakt Eddie nach. »Frühstück und all das?«

»Selbstverständlich. Lord Edgerly hatte eine ausgesprochene Vorliebe für meine Spezialität, Eier Benedikt.« Ich nehme einen Schluck Wasser.

Ich kann sehen, wie Trish Eddie vermeintlich heimliche Blicke zuwirft und er daraufhin unmerklich nickt. Ebenso gut könnten sie sich »wir nehmen sie!« auf die Stirn tätowieren.

»Da wäre noch ein Letztes.« Trish pafft heftig an ihrer Zigarette. »Sie werden ans Telefon gehen, wenn Mr. Geiger und ich außer Haus sind. Das Bild, das Image, das wir nach außen präsentieren, ist uns äußerst wichtig. Würden Sie deshalb bitte demonstrieren, was Sie in diesem Falle tun würden.« Sie weist mit einem Nicken aufs Telefon, das unweit auf einem Beistelltischchen steht.

Das kann nicht ihr Ernst sein. Aber ich fürchte … leider doch.

»Sie sollten ›Guten Tag, hier die Geiger-Residenz‹ sagen«, springt mir Eddie hilfreich bei.

Gehorsam erhebe ich mich, stakse zum Telefon und hebe den Hörer ab.

»Guten Tag«, sage ich in meiner professionellsten Haushälterinnenstimme. »Hier die Geiger-Residenz. Wie kann ich Ihnen helfen?«

Eddie und Trish sehen aus, als wäre jetzt schon Weihnachten.

7

Als ich am nächsten Morgen aufwache, fällt mein verschwommener Blick als Erstes auf die mir vollkommen unbekannte, glatte weiße Zimmerdecke. Verwirrt starre ich ein paar Sekunden lang hinauf, dann hebe ich ein wenig den Kopf. Diese Laken rascheln so komisch, wenn man sich bewegt. Was geht da vor? Meine Laken rascheln nie.

Ach ja. Es sind die Laken der Geigers.

Beruhigt sinke ich in die Kissen zurück – bis mir ein weiterer Gedanke kommt.

Wer zum Teufel sind die Geigers?

Verzweifelt versuche ich mich zu erinnern. Ich fühle mich, als hätte ich einen schlimmen Kater und gleichzeitig immer noch einen in der Krone. Die Ereignisse des gestrigen Tages huschen in abgerissenen Fetzen durch mein Gehirn, das sich immer noch anfühlt, als wäre es in dicke Watte gepackt. Ich bin mir nicht sicher, was Wirklichkeit ist und was ein Traum. Ich bin in den Zug gestiegen … genau … ich hatte furchtbare Kopfschmerzen … Paddington Station … das Büro überstürzt verlassen …

O Gott. O nein.

In einer Übelkeit erregenden Welle schwappen die Erinnerungen über mich hinweg. Plötzlich ist alles wieder da. Ich fühle mich, als hätte ich einen Magenschwinger bekommen. Das Memo. Third Union Bank. Fünfzig Millionen Pfund. Wie ich Guy gefragt habe, ob ich noch einen Job habe ...

Sein Schweigen.

Ich liege einen Moment lang ganz still da, lasse alles in mich einsinken. Meine Karriere. Zerstört. Jede Chance, Seniorpartner zu werden, dahin. Wahrscheinlich entlassen. Die Welt, die ich kannte, ist nicht mehr.

Schließlich schlage ich die Bettdecke zurück und stehe auf. Prompt wird mir speiübel. Und schwindlig. Ich glaube, ich habe gestern überhaupt nichts gegessen. Bis auf die Cornpops zum Frühstück.

Gestern um diese Zeit stand ich in meiner Küche und habe mich für die Arbeit fertig gemacht. Ohne zu ahnen, was mich erwarten würde. In einer anderen Welt – in einem Paralleluniversum – wäre ich heute als frischgebackene Seniorpartnerin von Carter Spink aufgewacht. Umgeben von Glückwunschkarten. Am Ziel meiner heißesten Wünsche.

Ich kneife die Augen ganz fest zu, versuche all die »hätte ich«, »wäre ich« zu verdrängen, die wie eine neuerliche Flut auf mich einstürzen. Hätte ich das Memo doch nur früher bemerkt ... Hätte ich doch nur besser Ordnung gehalten ... Hätte mir Arnold diese Sache doch bloß nicht aufgehalst ...

Aber das ist sinnlos. Mit pochendem Schädel trete ich ans Fenster. Was geschehen ist, ist geschehen. Ich muss mich damit abfinden und weitersehen. Mit einem fast unwirklichen Gefühl starre ich in den Garten hinaus. Bis zu diesem Moment war mein Leben bis ins Letzte vorgeplant gewesen. Prüfungen, Examina, Ferienpraktika, die Sprossen der Karriereleiter ... ich wusste immer ganz genau, wo es hingehen würde.

Und jetzt stehe ich hier, in diesem fremden Zimmer, weit draußen auf dem Lande. Und alles ist zerstört. Meine Karriere, mein Leben.

Aber da war doch noch was. Ein letztes Puzzlestück fehlt, doch mein benebeltes Hirn kriegt es einfach nicht zu fassen. Das kommt schon noch. In einer Minute oder so.

Die Stirn an die kühle Scheibe gelehnt, beobachte ich, wie in weiter Ferne ein Mann seinen Hund spazieren führt. Vielleicht ist ja doch noch was zu retten. Vielleicht ist es ja gar nicht so schlimm, wie ich dachte. Hat Guy eigentlich *gesagt*, dass ich meinen Job verloren habe? Ich muss ihn unbedingt anrufen und rausfinden, wie schlimm es wirklich steht. Ich hole tief Luft und fahre mir mit den Fingern durch die zerzausten Haare. Gott, war ich gestern daneben. Wenn ich bedenke, wie ich reagiert habe, einfach so davonzurennen, in den nächstbesten Zug zu springen … ich war total von der Rolle. Wenn die Geigers nicht so verständnisvoll gewesen wären –

Mein Gedankenfluss donnert gegen einen Damm.

Die Geigers.

Da war irgendwas mit den Geigers. Irgendwas habe ich vergessen … irgendwas Beunruhigendes … ich höre leise Alarmglocken …

Als ich mich umdrehe, fällt mein Blick auf ein blaues Kleid mit Biesen, das auf einem Bügel an der Schranktür hängt. Eine Art Uniform. Warum hängt die da –

Die Alarmglocken beginnen zu schrillen. Ein wildes Läuten. Jetzt fällt es mir wieder ein, wie ein schlechter Witz, ein besoffener Alptraum.

Habe ich etwa eine Stellung als Haushälterin angenommen?

Einen Augenblick lang bin ich wie gelähmt. O mein Gott. Was habe ich getan? Was habe ich bloß *getan?*

Mein Herz beginnt wie wild zu klopfen. Mit einem Mal wird mir die ganze Tragweite meiner Situation bewusst. Ich habe im Haus eines wildfremden Ehepaars übernachtet. Unter Vortäuschung vollkommen falscher Tatsachen. Ich habe in ihrem Gästezimmer geschlafen. Nein, im *Dienstbotenzimmer*. Ich habe eins von Trishs alten T-Shirts an. Sie haben mir sogar eine Zahnbürste gegeben, nachdem ich irgendwas von einem geklauten Koffer gefaselt hatte. Das Letzte, woran ich mich erinnere, bevor ich aufs Zimmer ging und in einen todesähnlichen Schlaf sank, ist Trishs triumphierende Stimme. »Sie ist Engländerin!«, krähte sie in den Telefonhörer. »Ja, spricht perfekt Englisch! Umwerfend, ja. Hat bei einem französischen Gourmetkoch gelernt! Cordon bleu und alles!«

Ich muss ihnen sagen, dass alles Lüge ist.

In diesem Moment klopft es an meiner Tür, und ich mache einen erschrockenen Satz.

»Samantha? Darf ich reinkommen?«

»Oh! Äh … ja!«

Die Tür geht auf, und Trish kommt herein. Sie trägt einen hellrosa Hausanzug mit einem Diamanté-Logo, ist perfekt geschminkt und treibt eine Parfümwolke vor sich her, bei der mir jetzt schon das Wasser in die Augen schießt.

»Ich habe Ihnen einen Tasse Tee gemacht«, sagt sie und reicht mir den Becher mit einem gezierten Lächeln. »Mr. Geiger und ich möchten, dass Sie sich hier wie zu Hause fühlen.«

»Oh!« Ich schlucke nervös. »Das ist nett. Danke.«

Mrs. Geiger, ich muss Ihnen was sagen. Ich bin keine Haushälterin.

Irgendwie bringe ich es einfach nicht über die Lippen.

Trishs Augen haben sich verengt, als würde sie ihre freundliche Geste bereits bereuen.

»Glauben Sie ja nicht, dass das jeden Tag so geht! Aber da Sie sich gestern nicht gut gefühlt haben …« Sie tippt auf ihre Uhr. »Und jetzt ziehen Sie sich besser an. Wir erwarten Sie in zehn Minuten unten. Ein leichtes Frühstück. Wir essen morgens grundsätzlich nur Toast und Kaffee und dergleichen. Dann können wir die restlichen Mahlzeiten des Tages durchsprechen.«

»Äh … in Ordnung«, stoße ich schwach hervor.

Sie macht die Tür zu, und ich stelle die Tasse ab. Scheiße. Was mache ich jetzt? Was? Was?

Okay. Immer mit der Ruhe. Immer eins nach dem anderen. Erst mal im Büro anrufen. Rausfinden, wie die Dinge stehen. Voller Angst hole ich mein Handy aus der Handtasche.

Das Display ist schwarz. Der Akku muss leer sein.

Frustriert starre ich es an. Ich muss gestern so neben der Spur gewesen sein, dass ich nicht einmal daran gedacht habe, es über Nacht aufzuladen. Ich hole das Ladegerät aus der Tasche und schließe das Handy an die Steckdose. Es fängt sofort an, sich wieder aufzuladen.

Ich warte auf das Piepen, das anzeigt, dass der Ladevorgang beendet ist, doch es kommt nicht. Kein verdammtes Piepen.

Panik durchzuckt mich. Wie soll ich jetzt im Büro anrufen? Wie soll ich überhaupt was machen? Ich kann nicht leben – ohne mein Handy.

Plötzlich fällt mir ein, gestern draußen bei der Treppe ein Telefon gesehen zu haben. Auf einem Tischchen in einem Erkerfenster. Das könnte ich vielleicht nehmen. Ich öffne meine Zimmertür und spähe links und rechts den Flur entlang. Niemand zu sehen. Vorsichtig schleiche ich zum Erkerfenster und hebe den Hörer ab. Das Freizeichen. Schön. Ich hole tief Luft, wähle die Nummer des Büros – und die Direktwahl zu Arnold. Es ist zwar noch nicht neun, aber er wird trotzdem schon da sein.

»Hier Arnold Savilles Büro«, meldet sich die fröhliche Stimme von Lara, seiner Sekretärin.

»Lara«, sage ich nervös, »hier ist Samantha. Samantha Sweeting.«

»*Samantha?*« Lara klingt, als wäre sie gerade vom Stuhl gefallen, und ich zucke unwillkürlich zusammen. »Großer Gott! Was ist bloß passiert? Wo *sind* Sie? Alle sind –« Sie versucht sich zu fassen.

»Ich … ich bin im Moment nicht in London. Dürfte ich Arnold sprechen?«

»Aber sicher. Warten Sie, ich stelle Sie gleich durch.« Statt ihrer Stimme tönt nun Vivaldi lieblich an mein Ohr, dann meldet sich schon Arnold.

»Samantha.« Seine joviale, brummige Bärenstimme dröhnt durch die Leitung. »Mein liebes Mädchen! Wie ich höre, sitzen Sie ein wenig in der Patsche!«

Nur Arnold kann den Verlust von fünfzig Millionen Pfund als »kleine Patsche« bezeichnen. Ich muss, trotz allem, unwillkürlich lächeln. Ich kann ihn vor mir sehen, im Anzug, darunter die typische Weste, die buschigen Augenbrauen besorgt gerunzelt.

»Ich weiß. Nicht gerade toll«, versuche ich mich seinem Understatement anzupassen.

»Ich kann nicht umhin, Sie darauf hinzuweisen, dass Ihre überstürzte Flucht gestern die Lösung der Situation nicht gerade vorangetrieben hat.«

»Ich weiß. Es tut mir Leid. Ich habe einfach die Panik gekriegt.«

»Kann ich verstehen. Trotzdem, Sie haben ein ziemliches Durcheinander hinterlassen.«

Ich glaube, unter Arnolds gewohnter Freundlichkeit ein wenig Anspannung herauszuhören. Arnold ist nie angespannt. Es muss ziemlich schlimm stehen. Ich würde mich am liebsten auf die Knie werfen und um Gnade flehen, aber das würde niemandem etwas nützen, nicht mal mir. Wo ich mich ohnehin schon unprofessionell genug verhalten habe.

»Also – wie ist der letzte Stand der Dinge?« Ich bin um einen möglichst gefassten, kühlen Ton bemüht. »Schon was von der Konkursverwaltung gehört? Können die noch was machen?«

»Unwahrscheinlich. Denen sind die Hände gebunden, sagen sie.«

»Stimmt.« Mir ist, als hätte ich einen Magenschwinger bekommen. Das wär's dann also. Fünfzig Millionen den Bach runter. »Und die Versicherung?«

»Das ist natürlich der nächste Schritt. Wir kriegen das Geld natürlich irgendwann wieder, da bin ich sicher. Aber nicht ohne Komplikationen, das können Sie sich ja vorstellen.«

»Ja, ich weiß«, flüstere ich.

Einen Moment lang sagt keiner von uns etwas. Es gibt keine guten Nachrichten, wird mir plötzlich klar. Keinen Silberstreif am Horizont. Ich hab Scheiße gebaut, Ende der Durchsage.

»Arnold, ich weiß wirklich nicht, wie ich einen … einen so dummen, dummen Fehler machen konnte.« Meine Stimme zittert. »Ich weiß nicht, wie das passieren konnte. Ich kann mich nicht mal erinnern, das Memo auf meinem Schreibtisch gesehen –«

»Wo sind Sie jetzt?«, unterbricht mich Arnold.

»Ich bin …«, hilflos schaue ich aus dem Fenster, »um ehrlich zu sein, ich weiß nicht mal genau, wo ich im Moment bin. Aber ich kann ins Büro kommen. Jetzt gleich.« Es sprudelt nur so aus mir heraus. »Ich nehme den nächsten Zug. In ein, zwei Stunden bin ich da.«

»Ich halte das für keine gute Idee.« Arnolds Stimme klingt irgendwie kalt, was mich zutiefst erschreckt.

»Hat man … hat man mich denn entlassen?«

»Darüber wurde noch nicht gesprochen«, sagt er gepresst. »Es gab Dringenderes, wissen Sie.«

»Ja, natürlich.« Ich merke, wie mir das Blut in den Kopf zurückschießt. »Tut mir Leid. Es ist nur …« Meine Kehle schnürt sich zusammen. Ich merke, wie mir die Tränen kommen, und ringe um Beherrschung. »Es ist bloß … ich habe immer nur bei Carter Spink gearbeitet. Alles, was ich je wollte, war …«

Ich kann's nicht mal sagen.

»Samantha, ich weiß, dass Sie eine äußerst begabte Anwältin sind.« Arnold seufzt. »Niemand zweifelt daran.«

»Aber ich habe einen Fehler gemacht.«

Ich höre es leise in der Leitung knacken. Mein Puls hämmert mir in den Ohren.

»Samantha, ich werde alles tun, was in meiner Macht steht«, sagt er schließlich. »Ich kann Ihnen an dieser Stelle ebenso gut sagen, dass für heute Vormittag eine Konferenz anberaumt wurde, um über Ihre Zukunft zu entscheiden.«

»Und Sie glauben nicht, dass ich kommen sollte?« Ich beiße mir auf die Lippe.

»Im Moment könnte das mehr schaden als nutzen. Bleiben Sie, wo Sie sind, und überlassen Sie alles andere mir.« Arnold zögert. Seine Stimme klingt ein wenig schroff. »Ich tue mein Bestes, Samantha, das verspreche ich Ihnen.«

»Gut, ich warte dann«, sage ich hastig. »Und vielen, vielen Dank.« Aber er hat bereits aufgelegt. Wie in Trance lege ich den Hörer auf.

Noch nie habe ich mich so hilflos gefühlt. Auf einmal sehe ich sie vor mir, wie sie alle mit ernsten Mienen am großen Konferenztisch sitzen. Arnold. Ketterman. Vielleicht sogar Guy. Und besprechen, was aus mir wird. Ob ich eine zweite Chance verdiene oder nicht.

Aber ich muss positiv denken. Es gibt noch eine Chance. Wenn Arnold auf meiner Seite steht, werden es auch andere …

»Eine *ausgezeichnete* Kraft.«

Ich fahre vor Schreck zusammen, als ich Trishs Stimme höre, die unaufhaltsam näher kommt. »Ja, natürlich werde ich ihre Referenzen überprüfen, aber Gillian, ich bin eine *sehr* gute Menschenkennerin, mich legt man nicht so schnell rein –«

Trish kommt um die Ecke gesegelt, ein Handy am Ohr und ich springe hastig vom Telefon weg.

»Samantha!«, stößt sie überrascht hervor. »Was machen Sie

denn hier? Und immer noch nicht angezogen? Jetzt aber los!«
Sie rauscht an mir vorbei, und ich hetze in mein Zimmer zurück. Ich schließe die Tür und werfe einen Blick in den Spiegel.

Auf einmal fühle ich mich ein bisschen unwohl.

Eigentlich fühle ich mich sogar *sehr* unwohl. Wie werden die Geigers reagieren, wenn ich ihnen sage, dass ich ihnen nur was vorgemacht habe? Dass ich überhaupt keine Cordon-Bleu-diplomierte Haushälterin bin, sondern nur einen Platz zum Schlafen brauchte?

Ein Bild taucht ungewollt vor meinem geistigen Auge auf: Wie sie mich aus dem Haus weisen, empört darüber, so schändlich von mir hintergangen worden zu sein. Vielleicht rufen sie ja sogar die Polizei. Lassen mich verhaften. O Gott. Das könnte echt schlimm enden.

Aber ich habe keine Wahl, oder? Es ist schließlich nicht so, als könnte ich wirklich …

Oder doch?

Ich nehme die Dienstkleidung vom Haken und befühle sie. Meine Gedanken überschlagen sich.

Es war sehr nett von ihnen, mich einfach so über Nacht dazubehalten. Und es ist ja nicht so, dass ich im Moment irgendwas zu tun hätte. Oder wüsste, wo ich hingehen soll. Vielleicht würde mich ein wenig leichte Hausarbeit ja von allem ablenken …

Ich fasse spontan einen Entschluss.

Ich werde es einen Vormittag lang versuchen. So schwer kann's ja nicht sein. Ich werde ihnen Toast machen und irgendwas abstauben. Als Dankeschön für ihre Freundlichkeit, sozusagen. Ja, so passt das. Und sobald ich was von Arnold gehört habe, werde ich mir was Überzeugendes einfallen lassen, warum ich sofort wieder gehen muss. Und die Geigers werden nie erfahren, dass ich gar keine gelernte Haushälterin bin.

Ich schlüpfe rasch in die Uniform und fahre mit einem

Kamm durch meine Haare. Dann stelle ich mich vor den Spiegel.

»Einen schönen guten Morgen, Mrs. Geiger«, sage ich zu meinem Spiegelbild. »Und ... äh ... wie möchten Sie den Salon abgestaubt haben?«

Ja, so geht's.

Als ich die Treppe herunterkomme, werde ich bereits gespannt von beiden Geigers erwartet. Noch nie war ich so verunsichert.

Ich bin eine Haushälterin. Ich muss mich wie eine Haushälterin benehmen.

»Herzlich willkommen, Samantha!«, begrüßt mich Eddie, als ich unten ankomme. »Na, gut geschlafen?«

»Ja, danke, Mr. Geiger«, antworte ich sittsam.

»Gut! Gut!« Eddie wippt auf den Fußsohlen hin und her. Auch er scheint ein wenig unsicher zu sein. Beide, wie es den Anschein hat. Die Geigers wirken, unter all der Schminke, der Sonnenbräune und den teuren Klamotten, eindeutig verunsichert.

Ich gehe zu einer Fensterbank und rücke mit, wie ich hoffe, professioneller Miene, ein Kissen gerade.

»Sie möchten sich jetzt sicher mit Ihrer neuen Küche vertraut machen!«, sagt Trish mit nervöser Fröhlichkeit.

»Selbstverständlich!«, antworte ich mit einem selbstbewussten Lächeln. »Darauf freue ich mich schon!«

Es ist bloß eine Küche. Nur für einen Vormittag. Das schaffe ich.

Trish führt uns in die riesige Küche. Diesmal schaue ich mich genauer um, versuche mich mit den Einzelheiten vertraut zu machen. Zu meiner Linken ist eine Art riesiges Herdplattendings in die marmorne Arbeitsplatte eingelassen. Daneben, in Hüfthöhe, eine ganze Batterie von Backöfen. Oder Mikrowellen? Wo ich auch hinschaue chromglänzende Geräte, an irgendwelche Steckdosen angeschlossen. Reihen und Reihen von Töpfen und Pfannen und allen möglichen anderen Kochutensilien hängen in blitzblank funkelndem Durcheinander über uns.

Und ich habe nicht die leiseste Ahnung, was was ist.

»Kann mir vorstellen, dass Sie das erst mal alles umräumen werden«, sagt Trish gestikulierend. »Nur zu. Richten Sie sich alles so ein, wie Sie es mögen. Sie sind schließlich die Expertin!«

Beide schauen mich erwartungsvoll an.

»Selbstverständlich«, sage ich geschäftsmäßig. »Natürlich habe ich mein eigenes … äh … System. Das hier zum Beispiel sollte nicht hier hängen.« Ich deute willkürlich auf irgendein Ding. »Das muss da weg.«

»Tatsächlich?« Trish ist fasziniert. »Und wieso?«

Stille. Selbst Eddie wirkt interessiert.

»Aus … aus Gründen der Ergonomie«, improvisiere ich. Äh. Jetzt schnell ablenken. »Sie möchten also Toast zum Frühstück?«

»Ja, Toast für uns beide«, antwortet Trish. »Und Kaffee. Mit Magermilch natürlich.«

»Kommt sofort.« Ich lächle, ein wenig erleichtert.

Toast kann ich. Kein Problem. Sobald ich rausgekriegt habe, welches von diesen verdammten Dingern der Toaster ist.

»Ich werde Ihnen das Frühstück sofort bringen«, füge ich im Bemühen, sie aus »meiner« Küche zu kriegen, hinzu. »Wo möchten Sie speisen? Im Esszimmer?«

In diesem Moment ertönt aus der Eingangshalle ein dumpfes Platschen.

»Das wird die Zeitung sein«, flötet Trish. »Ja, servieren Sie das Frühstück bitte im Esszimmer, Samantha.« Sie eilt hinaus, doch Eddie bleibt zurück.

»Wissen Sie, ich habe es mir anders überlegt.« Er schenkt mir ein joviales Lächeln. »Vergessen Sie den Toast, Samantha.

Ich hätte lieber Ihre berühmten Eier Benedikt. Sie haben mir gestern Abend richtig Appetit gemacht!«

Gestern Abend? Was habe ich gestern Abend –

Ach du meine Güte. Eier Benedikt. Mein Spezialgericht. Und Lord Edgerlys Lieblingsspeise.

Was habe ich mir bloß dabei *gedacht*?

Ich weiß ja nicht mal, was Eier Benedikt *ist*.

»Sind Sie ... sicher, dass Sie das möchten?«, stoße ich gepresst hervor.

»Kann mir doch Ihr Spezialgericht nicht entgehen lassen!« Eddie reibt sich freudig den Bauch. »Mein Lieblingsfrühstück. Die besten Eier Benedikt, die ich je gegessen habe, gibt's im Carlyle, in New York. Aber ich wette, Ihre sind noch besser!«

»Wer weiß?« Irgendwie bringe ich ein strahlendes Lächeln zustande.

Warum zum Teufel habe ich gesagt, ich könnte Eier Benedikt zubereiten?

Okay ... nur die Ruhe. Kann ja nicht so schwer sein. Eier und ... noch irgendwas.

Eddie lehnt sich erwartungsvoll an die Arbeitsplatte. Ich habe den hässlichen Verdacht, dass er darauf wartet, dass ich mit dem Kochen anfange. Zögernd nehme ich einen chromblitzenden Topf vom Haken, da kommt Trish auch schon wieder herein, die Zeitung unterm Arm. Sie beobachtet mich voller Neugier.

»Was haben Sie mit dem Spargeltopf vor, Samantha?«

Kacke.

»Ich ... äh ... wollte ihn mir nur ansehen. Ja.« Ich nicke missbilligend, als hätten sich all meine Befürchtungen bestätigt, und hänge ihn dann vorsichtig wieder ans Gestell zurück.

Mir wird allmählich heiß. Womit anfangen? Und wie? Soll ich die Eier aufschlagen? Oder kochen? An die Wand schmeißen?

»Voilà, die Eier.« Eddie klatscht eine gigantische Packung auf die Arbeitsplatte und klappt sie auf. »Sollten eigentlich genügen!«

Wie betäubt starre ich die Reihen und Reihen kleiner brauner Eier an. Was mache ich da bloß? Ich habe keine Ahnung, wie man diese blöden Eier Benedikt macht. Oder überhaupt ein richtiges Frühstück. Es hilft nichts, jetzt heißt es Farbe bekennen.

Ich drehe mich um und hole tief Luft.

»Mr. Geiger … Mrs. Geiger …«

»*Eier*?«, fährt mir Trishs schrille Stimme dazwischen. »Eddie, du darfst keine Eier essen! Denk dran, was der Doktor gesagt hat!« Sie blickt mich mit zornig verengten Augen an. »Was wollte er, Samantha? Ein gekochtes Ei?«

»Äh … Mr. Geiger hat Eier Benedikt bestellt. Die Sache ist nur –«

»Eier Benedikt? Kommt gar nicht in Frage!« Trishs Stimme hat mittlerweile die höchsten Tonlagen erklommen. »Denk an dein Cholesterin!!«

»Ich esse, was mir passt!«, protestiert Eddie mit rotem Kopf.

»Der Arzt hat ihm einen Diätplan verschrieben.« Trish pafft wütend an ihrer Zigarette. »Er hat heute früh schon eine Schüssel Cornflakes gegessen!«

»Ich hatte Hunger!«, wehrt sich Eddie. »Und du hattest einen Schokomuffin!«

Trish schnappt nach Luft, als hätte sie eine Ohrfeige bekommen. Auf ihren Wangen erscheinen hektische rote Flecken. Für den Moment scheint es ihr die Sprache verschlagen zu haben.

»Für uns heute bitte nur Kaffee, Samantha«, verkündet sie schließlich in würdevollem Ton. »Sie können ihn im Salon servieren. Und nehmen Sie das rosa Service. Komm, Eddie.« Bevor ich auch nur ein Wort sagen kann, rauscht sie davon.

Ich blicke mich in der leeren Küche um und weiß nicht, ob ich lachen oder weinen soll. Das Ganze ist einfach lächerlich. So kann das nicht weitergehen, mit dieser Scharade. Ich muss ihnen die Wahrheit sagen. Jetzt gleich. Wild entschlossen marschiere ich von der Küche in die Eingangshalle hinaus. Und bleibe wie angewurzelt stehen. Aus dem Salon dringt Trishs zornige, schrille Stimme, gelegentlich unterbrochen vom tieferen Brummen von Eddies halbherzigen Gegenwehrversuchen.

Hastig ziehe ich mich wieder in die Küche zurück und setze Wasser auf. Ich glaube, es ist einfacher, wenn ich erst mal Kaffee mache.

Zehn Minuten später habe ich alles auf einem Silbertablett angerichtet: die rosa Kaffeekanne, zwei rosa Kaffeetassen, Milch, Zucker und ein Sträußchen rosa Blumen, das ich vom Balkonkasten vorm Küchenfenster abgeschnippelt habe. Nicht ohne einen gewissen Stolz betrachte ich mein Werk.

Ich durchquere mit dem Tablett die Eingangshalle, stelle es vorsichtig auf dem Dielentisch ab und klopfe an die Wohnzimmertür.

»Herein!«, ruft Trish laut.

Ich öffne die Tür. Trish sitzt in einem Sessel am Fenster und hält, in einem etwas gekünstelten Winkel, eine Zeitschrift in der Hand. Eddie steht am anderen Ende des Zimmers und begutachtet die Schnitzereien am Kaminsims.

»Danke, Samantha.« Trish nickt großmütig, als ich den Kaffee einschenke. »Das wäre im Moment alles.«

Einen Moment lang komme ich mir vor, als wäre ich im »Haus am Eaton Place« gelandet, bloß dass die Dame des Hauses in diesem Falle einen bonbonrosa Nicki-Hausanzug trägt und der Herr einen Golfpulli und Karohosen.

»Äh … sehr wohl, Madam«, sage ich, ganz in meiner Rolle aufgehend. Dann, ohne es zu wollen, mache ich einen kleinen Knicks.

Verblüfftes Schweigen. Beide Geigers starren mich mit offenen Mündern an.

»Samantha – haben Sie gerade … einen *Knicks* gemacht?«, stammelt Trish.

Ich starre sie an, wie ein Kaninchen im Scheinwerferlicht eines heranrasenden Autos.

Was habe ich mir bloß dabei gedacht? Warum habe ich einen Knicks gemacht? Sie wird denken, ich will sie verscheißern. Haushälterinnen machen so was nicht. Jedenfalls schon lange nicht mehr.

Sie starrt mich noch immer an. Ich muss irgendwas sagen.

»Bei den Edgerlys war es so üblich.« Ich merke, wie mein ganzes Gesicht zu prickeln beginnt. »Ich hab's mir angewöhnt. Tut mir Leid, Madam. Es wird nicht wieder vorkommen.«

Trishs Hühnerhals wird länger und länger, die Augen verengen sich zu Schlitzen. Sie sieht mich an, als würde sie nicht schlau aus mir.

Sie muss doch merken, dass ich eine Schwindlerin bin, oder?

»Es gefällt mir«, verkündet sie schließlich mit einem zufriedenen Nicken. »Ja, ich mag es. Sie dürfen hier auch knicksen.«

Was?

Ich darf *was*?

Wir befinden uns im einundzwanzigsten Jahrhundert! Und ich soll vor einer Frau namens Trish einen Knicks machen?

Ich hole tief Luft, um zu protestieren – und klappe den Mund wieder zu. Es spielt keine Rolle. Dies ist sowieso bald vorbei. Ich breche mir keinen Zacken aus der Krone, wenn ich einen Vormittag lang Knickse mache.

8

Sobald ich das Wohnzimmer verlassen habe, hetze ich nach oben in mein Zimmer. Mist, mein Handy ist erst halb aufgeladen, und ich habe keine Ahnung, ob ich hier überhaupt Empfang habe. Aber wenn Trishs Handy funktioniert, müsste es bei mir doch auch gehen. Ich frage mich, welches Netz sie benutzt –

»Samantha?«

Trishs Stimme dringt von der Eingangshalle zu mir herauf.

»Samantha?« Klingt verärgert. Jetzt kann ich hören, wie sie die Treppe heraufkommt.

»Madam?« Ich eile ihr entgegen.

»*Da* sind Sie!« Sir runzelt die Stirn. »Ich wäre Ihnen dankbar, wenn Sie während Ihrer Dienstzeit nicht in Ihrem Zimmer verschwinden würden. Ich möchte nicht so nach Ihnen schreien müssen.«

»Äh … sehr wohl, Mrs. Geiger.« Als wir unten in der Halle ankommen, macht mein Magen einen erschrockenen Satz. Über Trishs Schulter hinweg sehe ich die *Times* auf dem Tisch liegen. Der Wirtschaftsteil ist aufgeschlagen, und die Schlagzeile springt mir förmlich ins Gesicht: GLAZERBROOKS IN KONKURS GEGANGEN.

Während Trish in einer riesigen weißen Handtasche – von Chanel – herumkramt, überfliege ich rasch den Artikel. Carter Spink wird mit keinem Wort erwähnt. Mir fällt ein Stein vom Herzen. Die PR-Abteilung muss es geschafft haben, das Ganze unter Verschluss zu halten.

»Wo sind meine Schlüssel?«, jammert Trish. »Wo sind sie bloß?« Mit wachsender Hektik wühlt sie in ihrer Handtasche. Ein goldener Lippenstift fliegt heraus und landet zu meinen Füßen. »Warum verschwindet bei mir immer alles?«

Ich hebe den Lippenstift auf und reiche ihn ihr. »Haben Sie eine Ahnung, wo die Schlüssel verloren gegangen sein könnten, Mrs. Geiger?«

»Ich habe sie nicht verloren.« Sie ringt zischend nach Luft. »Sie sind mir ganz offensichtlich gestohlen worden. Jetzt müssen wir sämtliche Schlösser auswechseln.« Sie fasst sich an den Kopf. »Das ist nämlich so eine Masche dieser Trickbetrüger, wissen Sie. Da war neulich ein Riesenartikel in der *Mail* – «

»Sind das Ihre Schlüssel?« Ich habe plötzlich einen Schlüsselring mit einem Tiffany-Anhänger auf dem Fensterbrett aufblitzen sehen. Ich nehme ihn und halte ihn hoch.

»O ja!« Trish ist vollkommen verblüfft. »Ja, das sind sie! Samantha, Sie sind unglaublich! Wie haben Sie die bloß gefunden?«

»Ach, das war nichts«, wiegle ich bescheiden ab.

»Nun, ich bin schwer beeindruckt!« Sie schenkt mir einen bedeutsamen Blick. »Ich werde es Mr. Geiger berichten.«

»Jawohl, Madam.« Ich versuche, das rechte Maß an überwältigter Dankbarkeit in meine Stimme zu legen. »Vielen Dank, Madam.«

»Mr. Geiger und ich haben heute Vormittag ein paar Dinge zu erledigen«, fährt sie fort, kramt ein Eau-de-Toilette-Spray aus ihrer Handtasche und besprüht sich damit. »Wenn Sie bitte so nett wären, zu Mittag ein paar Sandwichplatten vorzubereiten. Wir essen um eins. Und beginnen Sie schon mal mit dem Saubermachen, am besten hier unten im Erdgeschoss. Über das Abendessen unterhalten wir uns dann später.« Sie dreht sich abrupt zu mir um. »Und ich kann Ihnen ebenso gut verraten, dass wir *sehr* beeindruckt waren, von Ihrem gestrigen Menüvorschlag.«

»Äh … ja … freut mich.«

Macht ja nichts. Bis dahin bin ich sowieso längst über alle Berge.

»*Also.*« Trish streicht glättend über ihr Haar. »Kommen Sie doch kurz mit mir in den Salon, Samantha.«

Wir gehen ins Wohnzimmer und bleiben vorm Kamin stehen.

»Bevor wir aufbrechen und Sie hier mit dem Staubwischen beginnen«, verkündet Trish, »wollte ich Ihnen noch zeigen, in welcher Anordnung die Figürchen stehen müssen.« Sie wedelt mit der Hand in Richtung einiger Porzellanfiguren auf dem Kaminsims. »Ist ein bisschen kompliziert, sich das einzuprägen. Ich weiß nicht warum, aber die Haushaltshilfen machen das immer falsch. Wenn Sie also bitte *gut* aufpassen würden.«

Gehorsam richte ich den Blick auf die Figürchen.

»Es ist sehr wichtig, Samantha, *sehr wichtig*, sich zu merken, dass die Hündchen einander ansehen.« Trish deutet auf ein Paar King Charles Spaniels. »Sehen Sie, so? Sie sehen nicht voneinander weg, sie sehen *einander an*.«

»Einander an«, wiederhole ich dümmlich. »Ich seh's. Ja.«

»Und die Schäferinnen stehen ein wenig voneinander abgewandt. Ganz wenig nur. Sehen Sie, so? Ein wenig abgewandt.«

Sie sagt das so langsam und deutlich, als spräche sie mit einer leicht debilen Dreijährigen.

»Ein wenig abgewandt«, wiederhole ich pflichtschuldigst.

»Also, können Sie sich das jetzt merken?« Trish mustert mich durchdringend. »Versuchen wir's doch gleich mal. Wie stehen die Hündchen?« Sie verdeckt die Porzellanfiguren mit ihrem Arm.

Ich fasse es nicht. Sie stellt mich doch tatsächlich auf die Probe.

»Die Hündchen«, wiederholt sie ungeduldig. »Wie müssen sie stehen?«

O Gott, ich kann einfach nicht widerstehen.

»Äh …« Ich tue, als müsste ich überlegen. »Sie stehen … abgewandt?«

»Nein! Nein! Sie sehen sich an!«, kreischt Trish in heller Empörung. »*Sie sehen sich an!!*«

»Ach ja, stimmt«, entschuldige ich mich. »Tut mir Leid. Jetzt hab ich's.«

Trish macht die Augen zu und presst zwei Finger an die Schläfen, als könne sie die Dummheit des heutigen Personals einfach nicht fassen.

»Nun gut.« Sie gibt sich einen Ruck. »Wir können es ja morgen noch einmal versuchen.«

»Ich räume dann mal das Kaffeegeschirr ab, ja?«, schlage ich demütig vor. Als ich es aufs Tablett stelle, werfe ich einen raschen Blick auf meine Armbanduhr. Zwölf Minuten nach zehn. Ob das Meeting schon angefangen hat?

Ich weiß nicht, wie ich diesen Vormittag überstehen soll.

Inzwischen ist es halb zwölf und ich bin ein nervöses Wrack. Mein Handy ist zum Glück wieder aufgeladen, und von der Küche aus funktioniert es sogar, wie ich entdeckt habe. Nur angerufen hat mich noch keiner. Oder mir auch nur eine Nachricht hinterlassen. Ich habe ungefähr jede Minute nachgeschaut.

Das Geschirr ist in die Spülmaschine geräumt, und nach etwa fünfzig Versuchen habe ich sie sogar angekriegt. Dann habe ich die Porzellanhündchen in einem Affentempo abgestaubt. Abgesehen von diesen erschöpfenden Tätigkeiten bin ich nur nervös in der Küche auf und ab gelaufen.

Was die Sandwichplatten betrifft, die habe ich aufgegeben, nachdem ich – stundenlang, wie mir schien – an zwei Brotlaiben herumgesäbelt hatte. Das Ergebnis waren etwa zehn dicke, wabbelige Scheiben, eine missgestalteter als die andere, umgeben von einem Meer aus Bröseln. Der Himmel weiß, was ich falsch gemacht habe. Wahrscheinlich stimmt was nicht mit dem Messer.

Ich kann nur eins sagen: Dem Himmel sei Dank für die Gelben Seiten und für die Erfindung des Catering. Und für Kreditkarten. Ich habe bei *Cotswold Caterers* einen »Gourmet Sandwich-Lunch« für Trish und Eddie bestellt. Für schlappe 45,50 Pfund. Ich hätte locker das Doppelte bezahlt. Um ehrlich zu sein, in der derzeitigen Situation sogar das Zehnfache.

Und jetzt hocke ich auf einem Stuhl und halte mein Handy umkrallt, das in meiner Rocktasche steckt.

Ich wünsche verzweifelt, es würde endlich klingeln.

Gleichzeitig habe ich schreckliche Angst davor.

Plötzlich halte ich die Anspannung einfach nicht länger aus. Ich brauche irgendwas zur Beruhigung. *Irgendwas.* Ich stürze zum monströsen Kühlschrank der Geigers und reiße die Türen auf. Ah, eine Flasche Weißwein, die Erlösung. Ich schenke mir ein Glas ein und nehme einen verzweifelten Riesenschluck. Als ich gerade noch einen nehmen will, kribbelt es plötzlich in meinem Nacken.

Ich habe so ein Gefühl … als würde mich jemand beobachten.

Ihr wirble herum und kippe vor Schreck beinahe aus den Schuhen. In der Küchentür steht ein Mann.

Groß, breitschultrig und tief gebräunt. Leuchtende, himmelblaue Augen. Braunes, welliges Haar, von goldenen Strähnen durchzogen, die Spitzen von der Sonne ausgebleicht. Uralte Jeans und ein verwaschenes T-Shirt. An den Füßen die schmutzigsten Stiefel, die ich je zu Gesicht bekommen habe.

Der Blick dieses Prachtexemplars huscht kritisch über die zehn bröseligen Brotscheiben auf der Anrichte, dann zu dem Glas Wein in meiner Hand.

»Hi«, sagt er schließlich. »Sind Sie die neue Cordon-Bleu-Köchin?«

»Äh … ja! Ja, das bin ich!« Ich streiche meine Uniform glatt. »Ich bin die neue Haushälterin. Samantha. Hallo.«

»Nathaniel.« Er streckt mir die Hand hin. Nach kurzem Zögern ergreife ich sie. Seine Haut ist so rissig und schwielig, dass ich das Gefühl habe, ein Stück Borkenrinde zu schütteln. »Ich pflege den Garten der Geigers. Sie möchten sicher mit mir über das Gemüse reden.«

Unsicher blicke ich ihn an. Wieso sollte ich mit ihm über Gemüse reden wollen?

Er lehnt sich an den Türrahmen und verschränkt die Arme. Mir springt ins Auge, wie muskulös seine Unterarme sind. Solche Unterarme habe ich noch nie im Leben gesehen. Bisher jedenfalls nicht.

»Ich kann Ihnen so gut wie alles liefern, was Sie brauchen«, fährt er fort. »Je nach Saison, versteht sich. Sie müssen mir nur sagen, was Sie wollen.«

»Ach, *Gemüse* meinen Sie.« Endlich geht mir ein Licht auf. »Für die Küche. Äh … ja. Ja, davon kann ich was gebrauchen. Definitiv.«

»Ich habe gehört, Sie sind bei einem Sternekoch in die Lehre gegangen?« Seine Stirn wirft ein paar leichte Falten. »Ich weiß nicht, was für ausgefallenes Zeug Sie verwenden, aber ich werde mein Bestes tun.« Er zaubert ein erdverschmiertes kleines Notizbuch und einen Stift hervor. »Welche Brassica-Arten verwenden Sie für gewöhnlich?«

Brassica?

Was zum Teufel ist Brassica?

Irgendein Gemüse nehme ich an. Habe ich das Wort nicht mal bei Asterix gelesen? Leider habe ich mir nur *alea iacta est* gemerkt, und ob und wie die Würfel für mich gefallen sind, wird sich hoffentlich bald rausstellen. Brassica? Brassica? Nein, keine Ahnung.

»Da müsste ich erst mal meine Kartei konsultieren«, entgegne ich geziert. »Ich komme dann zu gegebener Zeit auf Sie zurück.«

»Aber, ich meine, ganz allgemein.« Er blickt auf. »Was verwenden Sie am häufigsten? Damit ich weiß, was ich anpflanzen soll.«

O Gott. Ich wage es nicht, ein einziges Gemüse zu nennen, aus Angst, mich bis auf die Knochen zu blamieren.

»Äh … eigentlich alle Sorten.« Ich schenke ihm ein entwaffnendes Lächeln. »Sie wissen ja, wie das mit den Brassica ist. Mal hat man Lust auf die eine … mal auf die andere!«

Ich weiß nicht, wie überzeugend das klang. Nathaniel jedenfalls wirkt ein wenig verblüfft.

»Ich bin gerade dabei, den Lauch zu bestellen«, sagt er langsam. »Welche Art ziehen Sie vor? Albinstar oder Bleu de Solaise?«

Mit prickelnden Wangen starre ich ihn an. Habe die Worte noch nie gehört.

»Ähm … erstere«, stammle ich schließlich. »Die hat eine so … so schmackhafte Qualität.«

Nathaniel lässt das Notizbuch sinken und starrt mich einen Augenblick lang an. Sein Blick huscht wieder zu meinem Weinglas. Ich bin nicht sicher, ob mir sein Gesichtsausdruck gefällt.

»Den Wein wollte ich gerade für eine Soße verwenden«, sage ich hastig. Lässig greife ich mir einen Topf vom Haken, stelle ihn auf den Herd und schütte den Wein hinein. Mit elegantem Schwung schnappe ich mir das Salz vom Regal und schüttle eine kräftige Prise in den Wein. Dann rühre ich das ganze mit einem hölzernen Kochlöffel um.

Ich riskiere einen Blick auf Nathaniel. Er starrt mich mit einem an Fassungslosigkeit grenzenden Ausdruck an.

»Wo, sagten Sie noch mal, sind Sie in die Lehre gegangen?«, fragt er schließlich.

Ein leichter Schreck durchzuckt mich. Der Mann ist nicht blöd.

»Am … am Cordon-Bleu-Institut.« Meine Wangen haben mittlerweile Glühtemperatur erreicht. Um irgendwas zu tun, schüttle ich noch ein wenig Salz in den Wein und rühre energisch um.

»Sie haben vergessen, die Herdplatte einzuschalten«, merkt Nathaniel an.

»Das wird eine kalte Sauce«, verkünde ich, ohne aufzublicken. Ich rühre noch ein wenig weiter, dann lege ich den Kochlöffel beiseite. »So. Das muss jetzt erst mal … äh … marinieren.«

Endlich wage ich es aufzublicken. Nathaniel lehnt noch immer im Türrahmen und beobachtet mich unbewegt. In seinen blauen Augen steht ein Ausdruck, bei dem sich mir die Kehle zuschnürt.

Er weiß Bescheid.

Er weiß, dass ich eine Schwindlerin bin.

Bitte nichts den Geigers verraten, flehe ich ihn stumm an. *Bitte. Ich bin sowieso bald wieder weg.*

»Samantha?« Trish steckt den Kopf zur Tür herein, und ich fahre nervös zusammen. »Ach, Sie haben Nathaniel schon kennen gelernt! Hat er Ihnen von seinem Gemüsegarten erzählt?«

»Äh … ja.« Ich kann ihn nicht ansehen. »Hat er.«

»Na *wunder*voll!« Sie pafft an ihrer Zigarette. »Tja, Mr. Geiger und ich sind wieder da, und wir hätten die Sandwichs gern in zwanzig Minuten.«

Ein eisiger Schrecken durchzuckt mich. In zwanzig Minuten? Aber es ist doch erst zehn nach zwölf! Die bestellten Sandwichs werden nicht vor eins geliefert.

»Möchten Sie vielleicht zuerst einmal einen Drink?«, frage ich in dem verzweifelten Versuch, ein wenig Zeit herauszuschinden.

»Nein, danke! Nur die Sandwichs, bitte. Um ehrlich zu sein,

wir haben beide ziemlich Hunger, wenn Sie sich also ein wenig beeilen könnten …«

»Selbstverständlich.« Ich schlucke. »Kein Problem!«

Automatisch mache ich einen Knicks. Aus Nathaniels Richtung ertönt ein gedämpftes Schnauben.

»Sie knicksen«, sagt er, sobald wir wieder allein sind.

»Ja, ich knickse«, entgegne ich trotzig. »Haben Sie was dagegen?«

Nathaniels Blick richtet sich abermals auf die verunglückten Brotscheiben.

»Ist das der Lunch?«, erkundigt er sich.

»Nein, das ist nicht der Lunch!«, fauche ich nervös. »Und würden Sie jetzt *bitte* meine Küche verlassen? Ich brauche Platz zum Arbeiten.«

Er hebt die Brauen.

»Na, dann bis später. Viel Glück mit der Sauce.« Er weist mit einem Kopfnicken auf den Topf.

Sobald er die Küchentür zugemacht hat, reiße ich mein Handy heraus und wähle über die Kurzwahltaste die Cateringfirma an. Aber es ist nur der Anrufbeantworter dran.

»Hi«, stoße ich nach dem Piepsen atemlos hervor. »Ich habe heute früh Sandwichs bestellt? Tja, die bräuchte ich jetzt, sofort. So schnell, wie möglich. Danke.«

Doch noch während ich die Verbindung abbreche, wird mir klar, dass es zwecklos ist. Die Lieferung wird auf jeden Fall zu spät kommen. Und die Geigers scharren jetzt schon mit den Hufen.

Wilde Entschlossenheit überkommt mich.

Okay. Ich schaffe das. Ich kann ein paar lächerliche Brötchen machen.

Rasch nehme ich die relativ noch am besten erhaltenen Brotruinen zur Hand, dazu das Brotmesser und schneide die Rinden ab. Am Schluss bleibt zwar nur ein winziges, reichlich unregelmäßiges Viereck übrig, aber zumindest ist es so einigermaßen präsentabel. Ich hacke was von der Butter ab und schmiere es auf die erste Scheibe. Sie zerreißt prompt in zwei Stücke.

Verdammter Mist.

Das lässt sich wieder zusammenkleben. Merkt keiner.

Ich reiße eine der oberen Schranktüren auf und wühle in den darin befindlichen Gläsern herum ... Senf ... Pfefferminzsauce ... Erdbeermarmelade. Marmeladenbrötchen. *Der* Klassiker. Hastig schmiere ich Marmelade auf eine Brotscheibe, noch ein wenig mehr Butter auf die andere und pappe die Scheiben dann zusammen. Anschließend begutachte ich mein Werk.

Grausig. Aus den Rissen sickert Marmelade. Und eckig ist es auch nicht.

Ich habe noch nie im Leben ein so grässliches Sandwich gesehen.

Das kann ich den Geigers unmöglich vorsetzen.

Langsam lege ich das Messer beiseite. Das wär's dann also. Zeit zu kündigen. Seltsam enttäuscht von mir selbst, starre ich das klebrige Desaster an. Nicht einmal einen Vormittag lang habe ich es durchgehalten.

Ein Klopfen reißt mich aus meinen trüben Gedanken. Ich fahre herum und sehe ein Mädchen mit einem blauen Haarband durchs Küchenfenster linsen.

»Hi!«, ruft sie fröhlich. »Sie haben Sandwichs für zwanzig bestellt?«

Alles geht so schnell. Gerade stand ich noch verzweifelt vor meinen Sandwichruinen. Jetzt tragen zwei Mädchen in grünen Schürzen Platten über Platten mit umwerfend aussehenden Sandwichs herein.

Sauber zugeschnittene, weiße und braune Sandwichecken,

zu ordentlichen Pyramiden gestapelt, mit Kräutersträußchen und Zitronenscheibchen garniert. Es stecken sogar kleine Fähnchen in den Brötchen, auf denen steht, womit sie bestrichen sind.

Tunfisch an Minze mit Gurke. Räucherlachs an Crème fraîche mit Kaviar. Thai Chicken an wilder Rauke.

»Das mit dem Zahlenkuddelmuddel tut mir schrecklich Leid«, sagt das Mädchen, bei dem ich für die Lieferung unterschreibe. »Es hat ehrlich wie eine zwanzig ausgesehen. Und wir kriegen nicht oft eine Bestellung für Sandwichs für zwei ...«

»Schon in Ordnung!« Ich versuche sie zur Tür zu drängeln. »Ehrlich. Buchen Sie's einfach mit ab.«

Als die Tür endlich zu ist, blicke ich mich erst mal wie betäubt in der Küche um. Noch nie habe ich derart viele Sandwichs auf einem Haufen gesehen. Überall. Auf jeder freien Oberfläche. Sogar auf dem Herd.

»Samantha?«, höre ich Trish kreischen.

O Gott, sie kommt.

»Äh ... Moment!« Ich rase zur Tür und versuche ihr die Sicht zu verstellen.

»Es ist schon fünf nach eins«, höre ich sie mit einer gewissen Schärfe sagen. »Und ich glaube *doch, deutlich* gesagt zu haben ...«

Sie hat die Küchentür erreicht, und ich sehe, wie ihr der Unterkiefer herunterklappt. Ich folge ihrem Blick, der fassungslos über das Sandwichmeer gleitet.

»Großer Gott! Das ist ja ... höchst beeindruckend!«

»Ich wusste nicht, welchen Aufstrich Sie am liebsten mögen«, sage ich bescheiden. »Nächstes Mal mache ich natürlich nicht mehr so viele ...«

»Also so was!« Trish scheint die Spucke weggeblieben zu sein. Sie zupft ein Fähnchen heraus und liest vor, was darauf steht. »Roastbeef an Blattsalat mit Meerrettich.« Erstaunt blickt sie auf. »Ich habe doch schon seit Wochen kein Fleisch mehr eingekauft! Wo haben Sie das bloß her?«

»Äh … aus der Tiefkühltruhe?«

Ich habe zuvor in die Tiefkühltruhe geschaut. Die quillt fast über. Mit dem, was sich da drin befindet, könnte man wahrscheinlich ein kleines afrikanisches Land eine Woche lang ernähren.

»Ach ja!« Trish schnalzt mit der Zunge. »Was sind Sie schlau!«

»Ich werde eine Auswahl auf einem Tablett für Sie anrichten«, schlage ich vor. »Und es in den Wintergarten bringen.«

»*Aus*gezeichnet. Nathaniel!« Trish klopft an die Fensterscheibe. »Kommen Sie rein und nehmen Sie sich ein Sandwich!«

Ich erstarre. O nein. Nicht der schon wieder.

»Wir wollen schließlich nichts verkommen lassen.« Sie hebt die Augenbrauen. »Wenn ich *etwas* kritisieren müsste, *liebe* Samantha, dann dass sie ein *klein* wenig verschwenderisch waren. Nicht, dass wir *arm* wären«, fügt sie hastig hinzu. »*Das* ist es nicht.«

»Äh … nein, Madam.«

»Ich will ja nicht über Geld reden, Samantha.« Trish senkt verschwörerisch die Stimme. »Wie vulgär. Aber –«

»Mrs. Geiger?«

Nathaniel ist wieder in der Küchentür aufgetaucht, in der Hand einen erdverkrusteten Spaten.

»Nehmen Sie sich was von Samanthas *köstlichen* Sandwichs!«, zwitschert Trish, mit einer Geste die ganze Küche umfassend. »Schauen Sie nur! Ist Sie nicht umwerfend?«

Grabesstille. Nathaniels Blick gleitet über die Sandwichpyramiden-Landschaft. Ich bringe es nicht fertig, ihn anzusehen. Mein Gesicht kribbelt. Hier stehe ich, in einer wildfremden Küche, in irgendeinem mir unbekannten Kaff. Ich trage eine blaue

Polyestertracht und gebe mich als Haushälterin aus, die über das Talent der wundersamen Sandwichvermehrung verfügt.

»Verblüffend«, sagt Nathaniel schließlich.

Ich riskiere einen Blick. Er starrt mich mit gerunzelten Brauen an, als könne er sich keinen Reim auf mich machen.

»Das haben Sie aber schnell hingekriegt«, sagt er mit der Andeutung eines Fragezeichens in der Stimme.

»Ja, ich kann ganz schön flink sein, wenn ich will«, antworte ich mit einem unschuldigen Grinsen.

»Samantha ist einfach wundervoll!«, flötet Trish und schlägt gierig die Zähne ins nächstbeste Brötchen. »Und so ordentlich! Sehen Sie sich mal diese saubere Küche an!«

»Cordon-Bleu-Training«, bemerke ich bescheiden.

»Ach!« Trish hat sich ein zweites Sandwich in den Mund geschoben und vergeht fast vor Seligkeit. »Dieses Thai-Chicken ist einfach himmlisch!«

Verstohlen stibitze ich mir ein Brötchen von einem Tablett und beiße hinein.

Verflucht noch mal, sind die gut. Muss ich selbst zugeben.

Jetzt ist es halb zwei und der Ansturm aufs kalte Büffet ist vorbei. Trish und Eddie haben mehr als die Hälfte der Ladung verputzt und sind ausgegangen. Nathaniel werkelt wieder in seinem Garten. Ich tigere nervös in der Küche auf und ab und schaue alle dreißig Sekunden auf die Uhr.

Arnold wird sicher gleich anrufen. Schließlich sind inzwischen Stunden vergangen.

Ich kann an nichts anderes mehr denken. Meine Gedanken sind wie eine Einbahnstraße, ein Tunnel, und alles, was mich interessiert, ist das, was mich am anderen Ende erwartet.

Ich blicke aus dem Fenster, wo ein kleiner brauner Vogel an etwas herumpickt. Ich wende mich ab und lasse mich auf einen Stuhl sinken. Wie betäubt starre ich den Tisch an und zeichne mit dem Daumennagel die markante Maserung der polierten Oberfläche nach.

Ich habe einen Fehler gemacht. Einen einzigen Fehler. Einen Fehler darf man sich im Leben doch wohl erlauben. Das steht so in den Regeln.

Oder etwa nicht? Ich weiß es nicht.

Auf einmal spüre ich mein Handy vibrieren. Zitternd reiße ich es aus meiner Rocktasche.

Die ID verrät mir, dass der Anrufer Guy ist. Ich hole tief Luft und nehme den Anruf an.

»Hallo, Guy?« Ich versuche selbstbewusst zu klingen, doch was herauskommt, ist ein verängstigtes Piepsen.

»Samantha? Bist du das?« Guy klingt gehetzt. »Wo zum Teufel steckst du? Warum bist du nicht hier? Hast du meine E-Mails nicht gekriegt?«

»Ich habe meinen BlackBerry nicht hier«, antworte ich erschrocken. »Warum hast du nicht angerufen?«

»Ich hab's versucht! Aber du bist nicht rangegangen. Dann musste ich in ein paar Meetings, aber ich habe dir den ganzen Vormittag lang E-Mails geschickt! Samantha, wo um alles in der Welt, *bist* du? Du solltest hier im Büro sein! Und dich nicht irgendwo verstecken, verdammt noch mal!«

Ein eisiger Schrecken packt mich. Verstecken?

»Aber … aber Arnold hat gesagt, ich soll nicht kommen! Er hat gesagt, das wäre das Beste! Er hat gesagt, ich soll bleiben, wo ich bin, und er würde sehen, was er für mich tun kann …«

»Hast du auch nur eine *blasse Ahnung*, wie das aussieht?«, fährt mir Guy über den Mund. »Zuerst verlierst du die Nerven, dann verschwindest du einfach von der Bildfläche. Die Leute fangen schon an zu glauben, du wärst instabil, du hättest einen Nervenzusammenbruch … Man erzählt sich, du wärst ins Ausland geflüchtet …«

Die Wahrheit trifft mich wie ein Keulenschlag. Panik keimt

in mir auf. Ich kann nicht fassen, wie dumm ich mich verhalten habe. Wie blöd ich gewesen bin. Was sitze ich noch hier in dieser Küche herum, meilenweit von London entfernt?

»Sage ihnen, ich komme sofort«, stottere ich. »Sag Ketterman, ich bin sofort da … Ich steige in den nächsten Zug …«

»Das könnte schon zu spät sein.« Guy kommt es nur zögernd über die Lippen. »Samantha, es sind alle möglichen Geschichten über dich im Umlauf.«

»Geschichten?« Mein Herz schlägt so heftig, dass ich kaum sprechen kann. »Was für … Geschichten?«

Ich kann nicht mehr. Ich habe das Gefühl, als sei ich mit dem Auto von der Straße abgekommen und könnte jetzt nicht mehr anhalten. Ich dachte, ich hätte alles unter Kontrolle. Ich dachte, ich täte das Richtige, wenn ich Arnold für mich reden ließe.

»Nun, es heißt, du wärst unzuverlässig«, gesteht Guy schließlich. »Es heißt, das wäre nicht das erste Mal. Du hättest vorher schon Fehler gemacht.«

»*Fehler*?« Ich springe auf und zische das Wort, als ob es mich verbrannt hätte. »Wer behauptet das? Ich habe noch nie Fehler gemacht! Was soll das heißen?«

»Ich weiß nicht. Ich war nicht in dem Meeting. Samantha – überleg mal ganz genau. Hast du sonst noch irgendwelche Fehler gemacht?«

Überleg ganz genau?

Fassungslos starre ich auf das Handy. Er glaubt mir nicht?

»Ich habe nie Fehler gemacht«, sage ich, vergebens um Beherrschung bemüht. »Noch nie! Ich bin eine gute Rechtsanwältin! Eine *gute* Rechtsanwältin!« Zutiefst beschämt stelle ich fest, dass mir die Tränen übers Gesicht laufen. »Ich bin nicht ›instabil‹! Das weißt du ganz genau, Guy!«

Angespannte Stille.

Es schwebt zwischen uns, unausgesprochen. Ich habe einen Fehler gemacht.

»Guy, ich weiß nicht, wie ich die Glazerbrooks-Sache über-sehen konnte.« Es sprudelt jetzt nur so aus mir heraus. »Ich weiß nicht, wie das passieren konnte. Es ist mir ein Rätsel. Ich weiß, dass mein Schreibtisch nicht gerade der ordentlichste ist, aber ich habe mein eigenes System! So was übersehe ich doch nicht, verdammt noch mal. Ich –«

»Samantha, jetzt beruhige dich.«

»Wie kann ich mich beruhigen?« Ich kreische fast. »Das ist mein Leben. Mein *Leben*. Ich habe sonst nichts!« Wütend wi-sche ich mir die Tränen ab. »Ich werde nicht klein beigeben. Ich komme. Jetzt sofort.«

Ich lege auf und gerate völlig in Panik. Ich muss zurück. Ich hätte sofort zurückfahren sollen, anstatt hier meine Zeit zu ver-plempern. Ich weiß nicht, wann der nächste Zug nach London geht, aber das ist mir schnurzegal. Ich muss los.

Hektisch schnappe ich mir den nächstbesten Zettel und kritzle darauf:

Sehr geehrte Mrs. Geiger,
zu meinem Bedauern muss ich die Stelle als Haushälterin kün-digen. Auch wenn ich meine Zeit bei Ihnen sehr genossen habe …

Jetzt komm schon. Du hast keine Zeit für diesen Mist. Du musst los. Ich lege den Zettel auf die Anrichte und gehe zur Tür. Dann bleibe ich doch noch einmal stehen.

Ich kann den Brief nicht so lassen, einfach mitten im Satz aufhören. Es würde mich für den Rest des Tages ver-folgen.

Auch wenn ich meine Zeit bei Ihnen sehr genossen habe, seh-ne ich mich nun doch nach einer neuen Herausforderung. Vie-len Dank für Ihre Freundlichkeit.
Hochachtungsvoll,
Samantha Sweeting.

Ich werfe den Stift beiseite und schiebe den Stuhl zurück, der laut über den Boden kratzt. Als ich bei der Tür bin, fängt mein Handy wieder an zu vibrieren.

Guy, schießt es mir sofort durch den Kopf. Doch als mein Blick auf die Rufnummernkennung fällt, sehe ich, es ist jemand ganz anders.

Es ist Ketterman.

Etwas Eiskaltes scheint meine Wirbelsäule hinaufzukriechen. Ich starre die Nummer an. Eine nie gekannte Furcht steigt in mir hoch. Eine kindische, alptraumhafte Furcht. Alles in mir scheint sich dagegen zu sträuben, ranzugehen.

Aber es ist zu spät. Ich habe bereits auf den Knopf gedrückt. Langsam hebe ich das Handy ans Ohr.

»Hallo.«

»Samantha. John Ketterman hier.«

»Ach ja.« Ich krächze vor Nervosität. »Hallo.«

Lange Pause. Ich weiß, dies wäre der Moment, um mich zu verteidigen; alles zu erklären. Aber ich bin vor Angst wie gelähmt. Meine Kehle ist wie zugeschnürt. Kein Wort erscheint mir angemessen. Und jeder weiß doch, wie sehr Ketterman Entschuldigungen und Ausflüchte hasst.

»Samantha, ich rufe Sie an, um Ihnen mitzuteilen, dass Ihr Vertrag bei Carter Spink hiermit gelöst ist.«

Ich spüre wie mir sämtliches Blut aus dem Gesicht weicht.

»Der Brief, in dem Ihnen die Gründe erörtert werden, ist bereits an Sie unterwegs.« Seine Stimme klingt distanziert, formell. »Grobe Nachlässigkeit, dazu Ihr in höchstem Maße unprofessionelles Verhalten. Ihr Firmenausweis wurde einbehalten. Ich möchte Sie nicht mehr in diesen Räumen sehen.«

Es geht zu schnell. Es geht alles viel zu schnell.

»Bitte …« Ich überschlage mich fast vor Verzweiflung. »Bitte geben Sie mir noch eine Chance. Ich habe einen einzigen Fehler gemacht. Bloß einen.«

»Bei Carter Spink macht man keine Fehler, Samantha. Und falls doch, dann rennt man nicht vor ihnen davon.«

»Ich weiß, es war falsch, einfach so abzuhauen. Ich weiß.« Ich zittere jetzt am ganzen Körper. »Aber es war so ein Schock. Ich konnte nicht mehr richtig denken …«

»Sie haben nicht nur die Kanzlei, sondern auch sich selbst in Misskredit gebracht.« Kettermans Stimme hat an Schärfe gewonnen, ganz so, als würde auch ihm dies nicht leicht fallen. »Sie haben einen Klienten durch Ihre Nachlässigkeit fünfzig Millionen Pfund gekostet. Und sind daraufhin ohne jede Erklärung geflüchtet. Samantha, Sie können doch nicht im Ernst glauben, dass die Konsequenzen anders aussehen würden.«

Die nun folgende Stille dehnt sich ins Unerträgliche. Ich habe den Handballen gegen die Stirn gepresst. Ich versuche mich aufs Atmen zu konzentrieren, zu mehr bin ich im Moment nicht imstande. Ein und aus. Ein und aus.

»Nein«, flüstere ich schließlich.

Es ist vorbei. Es ist wirklich vorbei.

Ketterman erklärt, als ob er es einstudiert hätte, dass er sich nun mit der Personalabteilung in Verbindung setzen müsse. Ich höre gar nicht richtig hin. Um mich dreht sich alles. Der Raum verschwimmt vor meinen Augen, und ich kriege kaum noch Luft.

Es ist vorbei. Meine ganze Karriere ist den Bach runter. Alles, wofür ich gearbeitet habe, seit ich zwölf war. Aus und vorbei. Innerhalb von vierundzwanzig Stunden.

Irgendwann wird mir verschwommen bewusst, dass Ketterman aufgelegt hat. Ich rapple mich mühsam auf die Beine und taumle zum Kühlschrank. Mein Gesicht, das sich in der Chromfläche spiegelt, sieht graugrün aus, die Augen wie riesige schwarze Löcher.

Ich weiß nicht, was ich machen soll. Ich weiß nicht, wo anfangen.

Lange Zeit stehe ich einfach nur so da und starre mein Spiegelbild an, bis es jede Realität verliert, bis die Züge flirren, sich verzerren.

Gefeuert. Das Wort hallt unentwegt durch meinen Kopf. *Gefeuert.* Ich könnte mich arbeitslos melden. Bei dem Gedanken muss ich unwillkürlich schnauben. Ich kann mich förmlich sehen, wie ich mit irgendwelchen Kerlen in der Schlange vorm Schalter des Arbeitsamts stehe und – wie in dem Film *Ganz oder gar nicht* – die Hüften zu *Hot Stuff* schwinge.

Auf einmal höre ich, wie ein Schlüssel in der Haustür herumgedreht wird. Ich erwache jäh aus meiner dumpfen Betäubung und trete einen Schritt vom Kühlschrank zurück.

So kann ich mich nicht blicken lassen. Besorgte Fragen könnte ich jetzt nicht ertragen. Oder gar Mitleid. Ich befürchte, dass ich dann in Tränen ausbrechen und nie wieder mit Weinen aufhören könnte.

Zerstreut greife ich mir den nächstbesten Lappen und beginne ziellos den Tisch abzuwischen. Mein Blick fällt auf den Zettel, den ich für die Geigers hingelegt hatte. Ich nehme ihn und zerknülle ihn. Ab in den Papierkorb. Später. Alles später. Im Moment kann ich ja nicht mal richtig sprechen, geschweige denn eine vernünftige Kündigungsrede halten.

»*Da* sind Sie!« Trish wackelt auf ihren hochhackigen Sandalen herein, in den Armen drei zum Platzen volle Einkaufstüten. »Samantha!« Sie bleibt bei meinem Anblick wie angewurzelt stehen. »Geht's Ihnen nicht gut? Haben Sie wieder Kopfschmerzen?«

»Ich … es geht schon.« Meine Stimme zittert ein wenig. »Danke.«

»Sie sehen *schrecklich* aus! Liebe Güte! Kommen Sie, nehmen Sie noch ein paar Tabletten!«

»Das ist doch nicht …«

»Na los doch! Ich werde auch ein paar nehmen, warum auch

nicht?«, fügt sie fröhlich hinzu. »Und jetzt setzen Sie sich. Jetzt mache *ich* Ihnen erst mal eine Tasse Tee!«

Sie stellt mit einem Plumps die Tüten ab, setzt den Kessel auf und wühlt in der Tablettenschublade herum.

»Sie mochten die grünen, nicht wahr?«

»Äh, ein Aspirin genügt, danke«, versichere ich rasch.

»Sind Sie sicher?« Sie füllt ein Glas Wasser für mich und reicht es mir mit ein paar Aspirintabletten. »Und jetzt bleiben Sie einfach ruhig sitzen. Entspannen Sie sich. *Denken* Sie nicht mal an was anderes! Äh, bis es Zeit wird, das Abendessen zuzubereiten, jedenfalls«, fügt sie schnell hinzu.

»Sie sind sehr nett«, stammle ich.

Und in diesem Moment wird mir klar, dass es stimmt. Trish ist sehr nett. Auf eine etwas verdrehte Weise zwar, aber doch.

»Hier, bitte schön.« Sie stellt mir eine Tasse Tee hin und mustert mich forschend. »Haben Sie vielleicht *Heimweh*?« Es klingt fast triumphierend, als habe sie des Rätsels Lösung gefunden. »Unser Mädchen von den Philippinen wurde manchmal ganz traurig, aber ich habe immer zu ihr gesagt: ›Kopf hoch, Manuela!‹ Bis ich herausfand, dass sie Paula hieß. Komische Sache.«

»Ich habe kein Heimweh«, sage ich und nehme einen kräftigen Schluck Tee.

Meine Gedanken flattern wie eine Schar Schmetterlinge. Was soll ich bloß tun?

Heimfahren.

Aber in dieses Apartment zurückzugehen, wo Ketterman zwei Stockwerke über mir wohnt, ist ein gräßlicher Gedanke. Ich kann ihn nicht sehen. Ich kann nicht.

Ich könnte Guy anrufen. Bei ihm könnte ich erst mal unterschlüpfen. Er hat dieses Riesenhaus in Islington mit etlichen Gästezimmern. Ich habe schon mal dort übernachtet. Dann … dann verkaufe ich meine Wohnung. Suche mir einen Job.

Aber was für einen?

»Das wird Sie aufmuntern«, reißt mich Trishs durchdringende Stimme aus den Gedanken. Mit kaum verhohlener Genugtuung tätschelt sie die Einkaufstüten. »Nach Ihrem geradezu *verblüffenden* Lunch ... bin ich einkaufen gegangen. Und ich habe eine Überraschung für Sie! Das wird Sie umhauen!«

»Umhauen?« Verwirrt blicke ich auf. Trish hat angefangen, die prallen Tüten auszupacken.

»Gänseleberpastete ... Kichererbsen ... Lammfleisch ...« Sie klatscht einen Schlegel auf den Tisch, der diesen erzittern lässt. Erwartungsvoll blickt sie mich an. Als sie meinen verständnislosen Gesichtsausdruck bemerkt, schnalzt sie ungehalten mit der Zunge.

»*Zu-ta-ten!* Ingredienzen! Fürs Abendessen! Sie kochen doch so schön! Um acht, wenn's recht ist?«

9

Das wird schon wieder.

Wenn ich mir das nur oft genug sage, glaube ich es irgendwann auch.

Ich weiß, ich müsste Guy anrufen. Aber immer, wenn ich das Handy herausnehme, verliere ich im letzten Moment den Mut. Es ist so demütigend. Ich weiß, er ist mein Freund; er ist der, mit dem ich mich in der Kanzlei am besten verstehe. Aber ich bin diejenige, die gefeuert wurde. Ich bin die, die sich schämen muss. Er nicht.

Schließlich setze ich mich auf und reibe mir mit beiden Händen übers Gesicht. *Jetzt komm schon, du Feigling. Guy wird hören wollen, wie es dir geht. Er wird dir helfen.* Ganz bestimmt. Ich nehme das Handy und wähle ihn über Kurzwahl an. Plötzlich höre ich Schritte, die sich mir über den Parkettboden der Eingangshalle nähern.

Trish.

Hastig klappe ich das Handy zu, lasse es in meiner Rocktasche verschwinden und greife nach einem großen Brokkoli.

»Na, wie kommen Sie voran?«, flötet Trish beim Hereinkommen.

Etwas überrascht nimmt sie zur Kenntnis, dass ich immer noch so dasitze, wie sie mich verlassen hat. »Alles in Ordnung?«

»Ich … begutachte nur die Zutaten«, improvisiere ich. »Um ein Gefühl für sie zu bekommen.«

Hinter Trish taucht plötzlich eine weitere blonde Frau auf. Auf ihrem Kopf sitzt eine Ray-Ban-Sonnenbrille und sie beäugt mich mit unverhohlener Neugier.

»Ich bin Petula«, verkündet sie. »Nett, Sie kennen zu lernen.«

»Petula hat gerade ein paar von Ihren Sandwichs probiert«, wirft Trish ein. »Sie fand sie einfach *umwerfend.*«

»Und ich habe von Ihrer Gänseleberpastete mit Apricot-Glasur gehört!« Petula hebt die Augenbrauen. »Beeindruckend!«

»Samantha kann alles!«, prahlt Trish mit stolzgeröteten Wangen. »Sie ist bei Michel de la Roux de la Blanc in die Lehre gegangen! Dem Meister persönlich!«

»Und wie genau werden Sie die Pastete nun glasieren, Samantha?«, erkundigt sich Petula interessiert.

Schweigen. Beide Frauen blicken mich voller Spannung an.

»Nun ja.« Ich räuspere mich. Mehrmals. »Nun … ich mache es natürlich … auf die übliche Art. Das Wort ›Glasur‹ leitet sich, wie allgemein bekannt, aus der … äh … transparenten Natur … der … der Glasur ab … komplimentiert durch die … foie gras. Die, äh, Leberpastete. Äh.«

Was für ein Schwachsinn. Doch weder Trish noch Petula

scheinen irgendeinen Verdacht geschöpft zu haben. Tatsächlich wirken sie höchst beeindruckt.

»Wo, um alles in der Welt, hast du sie nur her?«, tuschelt Petula Trish in einem Ton zu, den sie offensichtlich für diskret hält. »Mein Mädchen ist einfach *hoffnungslos*. Kann *weder* kochen *noch* Englisch. Versteht kein Wort von dem, was ich sage.«

»Hat sich einfach so aus heiterem Himmel bei uns vorgestellt!«, murmelt Trish voller Stolz zurück. »Cordon bleu! Englisch! Wir konnten unser Glück kaum fassen!«

Beide beäugen mich wie eine besonders seltene, vom Aussterben bedrohte Rasse.

Ich halte das nicht länger aus.

»Soll ich Ihnen vielleicht einen Tee machen und in den Wintergarten bringen?«, frage ich in meiner Verzweiflung.

»Nein, danke. Wir müssen gleich weg – zur Pediküre«, flötet Trish. »Bis nachher, Samantha.«

Erwartungsvolle Pause. Blitzartig wird mir klar, dass Trish auf einen Knicks wartet. Ich merke, wie mir die Schamröte ins Gesicht schießt. Warum musste ich auch knicksen? Warum musste ich unbedingt einen Knicks machen!

»Sehr wohl, Mrs. Geiger.« Ich neige das Haupt und ringe mir einen wackeligen Knicks ab. Als ich aufblicke, sind Petulas Augen groß wie Untertassen.

Beim Rausgehen höre ich, wie Petula Trish zuzischt: »Sie *knickst*? Sie *knickst* vor dir?«

»Eine einfache Respektsbezeugung«, höre ich Trish lässig antworten. »Aber höchst wirkungsvoll. Weißt du, Petula, das solltest du wirklich bei deinem Mädchen …«

O Gott. Was habe ich da bloß angestellt?

Ich warte, bis das Klappern der Absätze vollständig verklungen ist. Dann verdrücke ich mich zur Sicherheit in die Speisekammer, klappe mein Handy auf und drücke auf Wahlwiederholung. Guy nimmt nach dreimal klingeln ab.

»Samantha.« Er hört sich wachsam an. »Hallo. Hast du –«

»Schon gut, Guy.« Ich schließe kurz die Augen. »Habe schon mit Ketterman gesprochen. Ich weiß Bescheid.«

»Mein Gott, Samantha.« Er schnauft. »Das tut mir so Leid, *so* Leid …«

Ich kann sein Mitleid nicht ertragen. Wenn er noch was sagt, fange ich zu heulen an.

»Schon gut«, schneide ich ihm das Wort ab. »Echt. Lass uns nicht mehr drüber reden. Lass uns … nach vorn schauen. Ich muss mein Leben wieder neu ausrichten.«

»Mein Gott, du bist vielleicht taff!« In seiner Stimme schwingt ein Anflug von Bewunderung. »Dich wirft so schnell nichts um, stimmt's?«

Ich streiche mir das Haar aus dem Gesicht. Es fühlt sich trocken und ungeliebt an, die Haarenden sind ganz splissig.

»Nun, zurückschauen nützt nichts. Ich muss … irgendwie muss es weitergehen.« Ich weiß nicht wie, aber es gelingt mir, ruhig zu sprechen. »Ich muss nach London zurück. Aber nicht in meine Wohnung. Ketterman hat sich im selben Gebäude ein Apartment gekauft. Er *wohnt* jetzt da.«

»Ja, hab ich schon gehört.« Guy klingt, als hätte er in eine Zitrone gebissen. »Das ist echt Pech.«

»Ich kann ihm nicht gegenübertreten, Guy.« Schon wieder will mir das Heulen kommen. Ich zwinge mich, ein paar Mal tief Luft zu holen. »Tja … und da habe ich mich gefragt, ob ich vielleicht zu dir kommen könnte? Nur für ein paar Tage?«

Schweigen. Das hätte ich nicht erwartet.

»Samantha, ich würde dir liebend gerne helfen«, meldet sich Guy schließlich, »aber ich muss das erst mit Charlotte absprechen.«

»Klar, verstehe ich«, sage ich, ein wenig gekränkt.

»Bleib kurz dran. Ich rufe sie schnell an.«

Und schon bin ich in der Warteschleife gelandet. Und da sitze ich nun und versuche, nicht zu gekränkt zu sein, während ich der blechernen Cembalomusik lausche. Es war ja wohl nicht zu erwarten, dass er gleich ja sagt. Natürlich muss er das erst mal mit seiner Freundin besprechen.

Endlich meldet sich Guy wieder. »Samantha, tut mir Leid, aber ich glaube nicht, dass das geht.«

Das kommt wie ein Keulenschlag. »Ach so.« Ich versuche, ein Lächeln zustande zu bringen, so zu tun, als wäre das alles nicht der Rede wert. »Na ja, egal. Ich finde schon was.«

»Charlotte ist gerade ziemlich im Stress ... wir lassen die Gästezimmer neu herrichten ... es ist im Moment einfach total ungünstig ...«

Er klingt, als müsste er sich zwingen, das Gespräch überhaupt weiterzuführen. Und auf einmal wird mir alles klar. Es geht gar nicht um Charlotte. Das mit ihr ist nur eine Ausrede. Er will nichts mehr mit mir zu tun haben. Als wäre mein Rausschmiss ansteckend. Als könne das auch seiner heiligen Karriere schaden.

Gestern war ich noch sein bester Kumpel. Gestern, als ich kurz davor stand, Seniorpartnerin zu werden, da wieselte er die ganze Zeit um meinen Schreibtisch herum, grinsend und zwinkernd. Und heute will er nichts mehr von mir wissen.

Ich weiß, ich sollte meinen Mund halten, sollte mir noch einen Rest Würde bewahren, aber irgendwie kann ich nicht. Es bricht aus mir heraus. »Du willst nichts mehr mit mir zu tun haben, stimmt's?«

»Samantha!«, wiegelt er ab. »Mach dich nicht lächerlich.«

»Ich bin immer noch derselbe *Mensch*, Guy. Ich dachte, du wärst ein Freund.«

»Ich bin ein Freund! Aber du kannst doch nicht von mir erwarten ... ich muss auch an Charlotte denken ... so viel Platz haben wir auch wieder nicht ... Pass auf, ruf mich doch in ein paar Tagen noch mal an, dann treffen wir uns auf einen Drink ...«

»Wie gesagt, es geht schon.« Ich bemühe mich um Fassung. »Tut mir Leid, dich gestört zu haben.«

»Warte!«, ruft er aus. »Leg nicht auf! Was hast du jetzt vor?«

»Ach, Guy.« Ich stoße ein unfrohes Lachen aus. »Als ob dich das auch nur einen Dreck interessieren würde.«

Ich lege auf. Ich bin so fassungslos, dass mir ganz schwindlig ist. Alles hat sich geändert. Oder vielleicht hat er sich ja gar nicht geändert. Vielleicht war Guy ja schon immer so, und ich habe es nur nicht gemerkt.

Schwer atmend starre ich auf das kleine Display meines Handys, sehe wie die Sekunden, eine nach der anderen, verticken. Frage mich, was ich jetzt tun soll. Auf einmal beginnt das Handy zu vibrieren, und ich lasse es vor Schreck fast fallen. *Tennyson* verrät mir das Display.

Mutter.

Mein Magen zieht sich vor Schreck zusammen. Sie hat's also auch schon gehört. Hätte ich mir denken können, dass so was kommt. Ich könnte ja auch bei ihr wohnen, fällt mir ein. Komisch, dass ich überhaupt noch nicht auf diesen Gedanken gekommen bin. Ich klappe das Handy auf und hole tief Luft.

»Hi, Mum.«

»Samantha.« Kein Gruß, kein Nichts, gleich zur Sache. Typisch Mum. »Wie lange wolltest du eigentlich noch warten, bevor du mir von deinem Debakel berichtest? Ich musste aus einem Internetwitz von der Schande meiner eigenen Tochter erfahren. Ein *Internetwitz*.« Sie spuckt das Wort aus, als wäre es etwas Abstoßendes.

»Ein Internetwitz?«, wiederhole ich blöde. »Was soll das denn?«

»Du weißt es nicht? Nun, offenbar ist in Juristenkreisen das neue Wort für fünfzig Millionen Pfund ›ein Samantha‹. Ich fand das gar nicht witzig.«

»Mum, es tut mir so Leid –«

125

»Nun, zumindest zerreißt man sich nur in Juristenkreisen darüber das Maul. Ich habe schon mit Carter Spink telefoniert und man hat mir versichert, dass das Ganze nicht nach außen dringen wird. Dafür solltest du dankbar sein.«

»Ja, äh ... kann sein.«

»Wo bist du?«, schneidet sie mein Gestammel ab. »Wo hältst du dich derzeit auf?«

In einer Speisekammer, umgeben von Schachteln voll Frühstücksflocken.

»Ich bin ... im Haus von Bekannten. Außerhalb von London.«

»Und wie sehen deine Pläne aus?«

»Ich weiß nicht.« Ich reibe mir übers Gesicht. »Ich muss ... irgendwie auf die Beine kommen. Mir einen Job suchen.«

»Einen Job«, wiederholt sie ätzend. »Und du glaubst, die wirklich guten Kanzleien würden dich jetzt auch nur mit der Kneifzange anfassen?«

Ihr Ton ist wie ein Peitschenhieb, lässt mich zusammenzucken. »Ich ... ich weiß nicht. Mum, ich habe gerade erst erfahren, dass man mich gefeuert hat. Ich kann nicht einfach −«

»Doch, du kannst. Zum Glück für dich, habe ich bereits Schritte unternommen.«

Sie hat *Schritte unternommen*?

»Was hast du −«

»Ich habe all meine Beziehungen spielen lassen. War keine einfache Sache. Aber die Seniorpartner von Fortescues wollen dich morgen um zehn empfangen.«

Ich starre mein Handy fassungslos an.

»Du hast mir ein Vorstellungsgespräch organisiert?«

»Wenn alles gut geht, wirst du als Seniorpartnerin einsteigen.« Ihre Stimme klingt forsch, energiegeladen. »Diese Chance hättest du allein mir zu verdanken − man tut mir einen persönlichen Gefallen. Du kannst dir also vorstellen, dass es ...

Vorbehalte gibt. Wenn du also vorankommen willst, Samantha, wirst du dich gehörig anstrengen müssen. Du wirst alles geben müssen, jede Stunde deines Tages.«

»Sicher.« Ich schließe die Augen. Meine Gedanken schwirren. Ich habe ein Vorstellungsgespräch. Ein neuer Anfang. Licht am Ende des Tunnels.

Warum bin ich dann nicht erleichtert? Warum bin ich nicht happy?

»Du wirst mehr Einsatz zeigen müssen als bei Carter Spink«, fährt Mum fort. »Keine Schlamperei. Keine Trägheit. Du musst dich jetzt *doppelt* bewähren. Hast du das verstanden?«

»Ja«, sage ich automatisch.

Noch länger arbeiten. Noch mehr arbeiten. Noch mehr Überstunden, ganze Nächte im Büro.

Es kommt mir vor, als würde sich diese gewaltige Last wieder auf meine Schultern senken. Noch mehr als vorher. Noch schwerer. Immer schwerer.

»Ich meine, nein«, höre ich mich sagen. »Nein. Ich will das nicht. Das übersteigt meine Kräfte ... es ist zu viel ...«

Die Worte sprudeln wie von selbst aus mir hervor. Ich wollte das gar nicht sagen. Ich wusste nicht mal, dass ich das dachte. Aber jetzt, wo es ausgesprochen ist, geht es mir ... besser.

»*Wie* bitte?« Mutters Stimme könnte Metall schneiden. »Samantha, was um alles in der Welt redest du da?«

»Ich weiß nicht.« Ich knete meine Stirn, versuche Klarheit ins Chaos meiner Gedanken und Gefühle zu bringen. »Ich dachte nur ... ich mache mal ein wenig Pause.«

»Wenn du das tust, ist deine juristische Karriere beendet.« Sie klingt verächtlich. »*Beendet.*«

»Ich könnte was anderes machen.«

»Das würdest du keine zwei Minuten durchhalten!«, ruft sie empört. »Samantha, du bist *Rechtsanwältin*. Du hast *Jura* studiert.«

»Es gibt auch noch andere Dinge auf der Welt!«, rufe ich gereizt aus.

Eine ominöse Stille.

»Samantha, falls du eine Art Nervenzusammenbruch –«

»Habe ich nicht!« Echte Verzweiflung keimt in mir auf. »Bloß weil ich mein Leben infrage stelle, heißt das noch lange nicht, dass ich nicht mehr alle Tassen im Schrank habe! Ich habe dich nie *gebeten*, mir eine Stelle zu beschaffen! Ich weiß nicht, was ich will. Ich brauche ein bisschen Zeit, um … um zu mir zu kommen. Um nachzudenken.«

»Du wirst zu diesem Vorstellungsgespräch gehen, Samantha.« Mutters Stimme klingt geradezu stählern. »Du wirst dort morgen, Punkt zehn, zur Stelle sein.«

»Nein!«

»Sag mir sofort, wo du bist! Ich werde umgehend einen Wagen schicken.«

»Nein! Lass mich in Ruhe.«

Ich klappe mein Handy zu, verlasse die Speisekammer und werfe das Ding zornig auf den Tisch. Mein Gesicht glüht. Meine Augen brennen. Ich könnte heulen. Heulen. Das Handy fängt zornig an zu vibrieren, doch ich beachte es nicht. Ich werde nicht rangehen. Ich werde mit niemandem reden. Ich werde erst mal einen kippen. Und dann werde ich dieses beschissene Dinner kochen.

Ich gieße etwas Wein in ein Glas und nehme ein paar kräftige Schlucke. Dann wende ich mich dem Berg von Lebensmitteln zu, die auf der Anrichte darauf warten, von mir zubereitet zu werden.

Ich kann kochen. Ich kann was aus diesem Zeugs machen. Und wenn alles Übrige in meinem Leben in Trümmern liegt, das hier kann ich machen. Ich habe schließlich einen Verstand. Das kann doch wohl nicht so schwer sein.

Ohne Umschweife reiße ich die eingeschweißte Lammkeule auf. Die kommt ins Backrohr. In irgendeinem Topf. Easy. Und die Kichererbsen kann ich gleich dazutun. Die kommen dann in den Mixer und das gibt die Füllung. Na bitte.

Ich öffne einen Schrank und hole eine ganze Batterie chromglänzender Töpfe und Pfannen heraus. Dann nehme ich ein Backblech aus dem Ofen und schüttle die Kichererbsen drauf. Ein paar kullern zu Boden. Egal. Jetzt noch ein bisschen Öl über die Erbsen gesprenkelt. Schon fühle ich mich wie eine Köchin!

Dann schiebe ich das Blech ins Rohr und drehe den Ofen voll auf. Ich klatsche das Lamm in irgend so einen ovalen, niedrigen Topf und schiebe es hinterher.

So weit so gut. Jetzt muss ich nur noch Trishs Kochbücher durchforsten, um zu sehen, wie man Gänseleberpastete mit Apricot-Glasur macht.

Okay. Kein Rezept für Gänseleber in Apricot-Glasur. Das beste, was ich finden konnte, ist ein Rezept für Aprikosenstreusel. Vielleicht lässt sich das ja abändern.

»Butter mit Mehl verkneten, bis mürbe Streusel entstehen«, lese ich.

Wie? Mürbe Streusel? Aus Butter und Mehl?

Die Seite verschwimmt vor meinen Augen, mir schwirrt der Kopf. Ich habe gerade die einzige Chance auf einen Neuanfang ausgeschlagen. Ich kapiere nicht, wie ich das tun konnte. Ich bin doch Rechtsanwältin. Das und nichts anderes. Was soll ich denn sonst tun? Was ist bloß mit mir los?

O Gott. Warum kommt jetzt Rauch aus dem Ofen?

Es ist sieben Uhr abends, und ich bin immer noch beim Kochen.

Zumindest nehme ich an, dass es das ist, was ich tue. Beide Öfen verströmen eine Bullenhitze. Töpfe blubbern auf dem Herd. Der Mixer rattert. Ich habe mir jetzt schon zweimal die rechte Hand verbrannt, als ich was aus dem Rohr holen wollte. Acht Kochbücher liegen aufgeschlagen herum, über eins habe ich aus Versehen Öl geschüttet, über ein anderes Eigelb gekleckst. Mein Gesicht glänzt wie 'ne Schwarte, ich schwitze wie ein Schwein und muss immer wieder eine kurze Pause einlegen, um die Hand unters kalte Wasser zu halten.

Seit drei Stunden bin ich jetzt schon zugange. Und habe nichts zustande gebracht, was auch nur ansatzweise essbar gewesen wäre. Folgendes musste ich wegschütten: ein zusammengefallenes Schokoladensoufflé, angebrannte Zwiebeln (zwei Pfannen) und einen Topf mit geronnenen Aprikosen, bei deren Anblick mir schon schlecht wurde.

Mir ist ein Rätsel, was ich falsch mache. Es rauszufinden, geht nicht. Ich habe keine *Zeit* für eine ordentliche Schadensanalyse. Ein Desaster jagt das andere, ich schütte weg, ich fange von vorne an.

Und die Geigers, die Herzchen, haben keine Ahnung. Sie sitzen sherrytrinkend im Salon. Und glauben, dass alles bestens läuft. Trish hat vor einer halben Stunde mal versucht, in die Küche zu schauen, aber es ist mir zum Glück gelungen, sie an der Tür abzuwimmeln.

In weniger als einer Stunde werden sie und Eddie sich zu Tisch begeben, werden ihre Servietten ausschütteln, sich ein Glas Mineralwasser einschenken. Und ein Fünf-Sterne-Menü erwarten.

Mittlerweile befinde ich mich in einem Zustand hektischer Raserei. Ich schaffe es nicht, das weiß ich. Aber die Hoffnung aufgeben – kann ich auch nicht. Irgendwie wird ein Wunder geschehen, irgendwie werde ich es doch noch hinkriegen. Das wird schon –

O Gott, jetzt kocht die Bratensoße über.

Ich knalle das Backrohr zu, schnappe mir den nächstbesten Löffel und rühre hektisch um. Das Zeugs sieht aus wie eine widerliche wässrig-braune Brühe mit Klümpchen drin. Panisch schaue ich mich nach etwas um, was ich reintun könnte, um das ganze doch noch zu retten. Mehl. Maismehl. Oder so. Genau. Ich schnappe mir ein Glas mit einem weißen Pulver und schütte eine großzügige Portion in den Topf. Erleichtert wische ich mir den Schweiß von der Stirn. Gut. Was kommt jetzt?

Das Eiweiß! Sollte jetzt eigentlich steif geschlagen sein. Ich greife zum aufgeschlagenen Kochbuch und fahre mit dem Finger die Seite entlang. Ich habe mich, was die Nachspeise betrifft, anders entschieden, nachdem ich in einem der Kochbücher auf die Zeile »Baisers sind kinderleicht!« gestoßen bin.

So weit so gut. Und jetzt? »Steife Eiweißmasse auf ein Backblech geben und zu einem Ring formen.«

Ich werfe einen Blick auf den Mixer. *Steife* Eiweißmasse? Meine ist ganz flüssig.

Es muss stimmen, rede ich mir panisch ein. Es muss. Ich habe das Rezept schließlich ganz genau befolgt. Vielleicht ist es ja dicker, als es aussieht. Vielleicht sollte ich es einfach mal aufs Backblech schütten. Vielleicht versteift es sich dann ja auf wundersame Weise.

Vorsichtig gieße ich die Mixtur aufs Backblech.

Nichts ist mit Versteifen. Ein großer weißer See breitet sich auf dem Backblech aus, rinnt über den Rand und klatscht in dicken Klecksen auf den Fußboden.

Eine innere Stimme sagt mir, dass daraus wohl keine Pavlova mit weißer Schokolade für acht wird.

Ein fetter Kleckser halb flüssigen Eischnees klatscht mir auf den Fuß. Ich stoße einen Wutschrei aus. Ich könnte heulen. Warum funktioniert das einfach nicht? Ich habe doch alles getan, was in dem dämlichen Rezept drinsteht! In mir fängt es an zu brodeln. All die Wut, die sich in mir aufgestaut hat, droht aus mir hervorzubrechen: Wut auf mich selbst, auf mein verhunztes Eiweiß, auf beschissene Kochbücher, aufs Kochen an sich (und Essen, wo wir schon dabei sind) … vor allem aber auf den Idioten, der geschrieben hat, dass Baisers ja so »kinderleicht« zu machen wären.

»Sind sie nicht!«, höre ich mich kreischen. »Sind sie verflucht noch mal nicht!« Ich pfeffere das Kochbuch quer durch die Küche. Mit einem lauten Knall prallt es gegen die Tür zum Garten.

»He! Was zum Teufel –«, höre ich eine erstaunte Männerstimme rufen.

Schon fliegt die Türe auf und Nathaniel steht im Türrahmen, Beine wie Baumstämme. Seine Haare glänzen in der Abendsonne, er hat einen Rucksack über der Schulter. Sieht aus, als ob er gerade gehen wollte. »Was ist los?«

»Nichts«, sage ich erschrocken. »Es ist nichts. Alles in Ordnung. Danke. Danke vielmals.« Ich wedle wegwerfend mit der Hand, doch er rührt sich nicht vom Fleck.

»Habe gehört, dass Sie heute Abend was ganz Großes kochen«, sagt er langsam, während sein Blick über die Verheerung schweift.

»Ja. Ja, das stimmt. Ich … ich bin nur gerade in einer kritischen Phase … äh …« Mein Blick fällt auf den Herd und ich stoße einen Schreckensschrei aus. »Scheiße! Die Soße!«

Ich weiß nicht, was da schon wieder passiert ist. Braune Bläschen blubbern aus dem Topf, ruckeln über den Rand, ergießen sich über den Herd und tropfen bereits auf den Fußboden. Es sieht aus wie in dieser Geschichte vom »Süßen Brei« und dem Zaubertopf, der nicht mehr aufhören wollte, immer mehr Brei zu machen.

»So nehmen Sie doch den Topf vom Herd!«, ruft Nathaniel aufgeregt. Er reißt den Topf weg und schaltet die Platte aus. »Was ist da drin, verdammt noch mal?«

»Nichts!«, rechtfertige ich mich. »Was man eben so reintut …«

Nathaniels Blick fällt auf das Glas mit dem weißen Pulver,

das neben dem Herd steht. »*Backpulver*?«, ruft er fassungslos aus. »Sie haben Backpulver in Bratensoße geschüttet? Das haben Sie doch sicher nicht auf Ihrer Schule –« Er unterbricht sich und schnüffelt prüfend. »Moment mal. Brennt da was an?«

Hilflos schaue ich zu, wie er die Backrohrklappe aufmacht, mit geübtem Griff einen Topfhandschuh überstreift und das Backblech herauszieht, das aussieht, als wäre es mit winzigen schwarzen Pistolenkugeln besprenkelt.

Meine Kichererbsen. Die hatte ich ganz vergessen.

»Was soll *das* denn darstellen?«, stößt er ungläubig aus. »Hasenköttel?«

»Das sind Kichererbsen«, entgegne ich würdevoll, wenn auch mit schamroten Backen. »Kichererbsen in Olivenöl. Damit sie … schön schmelzen.«

»*Schmelzen?*«

»Weich werden«, korrigiere ich mich hastig.

Nathaniel stellt das Blech beiseite und verschränkt die Arme.

»*Was* haben Sie eigentlich gelernt? Kochen offenbar nicht«, stellt er fest.

Bevor ich antworten kann, gibt die Mikrowelle einen mächtigen KNALL von sich.

»O mein Gott!«, kreische ich, »O mein *Gott*! Was war das?«

Nathaniel späht angestrengt durch die Glasscheibe. »Was zum Teufel war da drin?«, will er wissen. »Da ist was explodiert.«

Ich überlege fieberhaft. Was habe ich da noch mal reingetan? Es ist alles so verschwommen.

»Die Eier!«, fällt es mir plötzlich wieder ein. »Ich wollte die Eier für die Kanapees kochen.«

»In der *Mikrowelle*?«, stößt er fassungslos hervor.

»Um Zeit zu sparen!« Ich brülle beinahe. »Aus Effizienzgründen!«

Nathaniel reißt den Stecker aus der Steckdose und dreht sich mit fassungsloser Miene zu mir um. »Sie verstehen einen Dreck vom Kochen! Das ist alles ein großer Schwindel! Sie sind gar keine Haushälterin. Ich weiß nicht, was zum Teufel Sie vorhaben –«

»Gar nichts!«, entgegne ich schockiert.

»Die Geigers sind nette Leutchen.« Sein Blick nimmt mich förmlich in die Zange. »Ich werde nicht zulassen, dass man sie ausnützt.«

Er sieht einen Moment lang richtig gefährlich aus. O Gott. Wofür hält er mich? Für eine Art Verbrecherin?

»Bitte … hören Sie.« Ich reibe mir übers schweißglänzende Gesicht. »Ich will niemanden reinlegen. Gut, ich gebe zu, ich kann nicht kochen. Aber ich wollte hier nicht anfangen. Das Ganze ist … ein Missverständnis.«

»Ein Missverständnis?« Er legt ungläubig die Stirn in Falten.

»Allerdings«, entgegne ich ein wenig schärfer als beabsichtigt. Dann lasse ich mich auf einen Stuhl sinken und massiere meine schmerzenden Bandscheiben. Ich hatte gar nicht gemerkt, wie erschöpft ich bin. »Ich war auf der Flucht vor … vor etwas Bestimmtem. Ich brauchte einen Platz zum Schlafen. Und die Geigers haben einfach angenommen, ich wäre die neue Haushälterin. Und am nächsten Morgen hatte ich ein schlechtes Gewissen. Ich dachte, einen Tag lang könnte ich es ja versuchen. Aber ich hatte nie vor, zu bleiben. Und ich werde natürlich auch kein Geld von den Geigers annehmen, falls Sie das denken.«

Stille. Schließlich blicke ich auf. Nathaniel lehnt an der Anrichte, die mächtigen Arme verschränkt. Seine Stirn ist nicht mehr ganz so tief gefurcht. Er greift in seinen Rucksack, holt eine Flasche Bier hervor und bietet sie mir an. Ich schüttle den Kopf.

»Wovor sind Sie davongerannt?«, will er wissen und öffnet mit einem Knacken die Bierflasche.

Mein Magen zieht sich schmerzhaft zusammen. Ich kann nicht die ganze leidige Geschichte erzählen. Ich kann einfach nicht.

»Vor … vor besonderen Umständen.« Ich blicke zu Boden.

Er nimmt einen Schluck Bier. »Eine schlechte Beziehung?«

Einen Moment lang weiß ich nicht, was ich sagen soll. Ich muss an all die Jahre denken, die ich Carter Spink geschenkt habe. All die Stunden, die ich in der Kanzlei geschuftet, mein ganzes Privatleben, das ich dafür geopfert habe. Alles zu Ende. In einem dreiminütigen Telefongespräch.

»Ja«, sage ich langsam. »Eine schlechte Beziehung.«

»Wie lange wart ihr zusammen?«

»Sieben Jahre.« Zu meinem Horror stelle ich fest, dass mir Tränen in den Augen stehen. Keine Ahnung, wo die so plötzlich herkommen. »Tut mir Leid.« Ich schlucke. »Es war ein ziemlich stressiger Tag.«

Nathaniel reißt ein Blatt Küchenpapier von der Rolle hinter sich ab und reicht es mir.

»Wenn es eine schlechte Beziehung war, dann sollten Sie froh sein, dass Sie da raus sind«, erklärt er ruhig. »Kein Zweck, weiter dran zu denken. Kein Zweck, zurückzuschauen.«

»Ja, Sie haben Recht.« Ich wische mir die Tränen ab. »Ja. Jetzt muss ich mir nur darüber klar werden, was ich mit meinem Leben anfange. Hier bleiben kann ich nicht.« Ich greife nach der Flasche Crème de Menthe, die eigentlich in das verunglückte Schokoladensoufflé gehört hätte, gieße mir etwas davon in einen praktischerweise in Reichweite stehenden Eierbecher und nehme einen Schluck.

»Die Geigers sind schwer in Ordnung. Es gibt wahrhaftig schlechtere Arbeitgeber«, erklärt Nathaniel mit einem unmerklichen Schulterzucken.

»Stimmt.« Ich raffe mich zu einem kleinen Lächeln auf. »Leider kann ich nicht kochen.«

Er stellt sein Bier ab und wischt sich mit der Hand über den Mund. Seine Hände sehen sauber geschrubbt aus, aber um seine Nägel herum und in den Falten seiner wettergegerbten Haut sind noch Erdreste zu sehen.

»Ich könnte ja mal mit meiner Mum reden. Sie kann kochen. Sie könnte Ihnen die Basics beibringen.«

Erstaunt schaue ich ihn an. Macht er Witze? »Sie finden, ich sollte *bleiben*? Ich dachte, ich wäre eine Betrügerin.« Ich schüttle den Kopf und verziehe das Gesicht. Dieser Crème de Menthe ist scheußlich süß. »Nein, ich muss weg.«

»Ne Schande.« Er zuckt die Achseln. »Wäre schön gewesen, mal zur Abwechslung jemand dazuhaben, der Englisch sprechen kann. Und so tolle Sandwichs macht«, fügt er verschmitzt hinzu.

Ich muss ebenfalls schmunzeln. »Catering.«

»Ah. Hatte mich schon gewundert.«

Ein zögerliches Klopfen an der Tür lässt uns beide aufblicken.

»Samantha?« Es ist Trish, die leise und drängend durch die Tür spricht. »Hören Sie mich?«

»Äh … ja?«, antworte ich mit leicht erstickter Stimme.

»Keine Angst, ich komme nicht rein. Ich will Sie ja nicht stören! Wahrscheinlich ist es gerade eine äußerst *knifflige* Phase.«

»So was in der Art …«

Ich fange Nathaniels Blick auf und muss mich einer jäh aufwallenden Heiterkeit erwehren.

»Ich wollte bloß fragen«, fährt Trish fort, »ob Sie zwischen den Gängen irgendeine Art von *Sorbet* servieren werden?«

Ich schaue Nathaniel an. Seine Schultern zucken vor Lachen. Auch ich kann ein Schnauben nicht unterdrücken. Verzweifelt presse ich die Hand auf den Mund, um nicht laut loszubrüllen.

»Samantha?«

»Äh … nein«, stoße ich mit Mühe hervor. »Kein Sorbet.«

Nathaniel hat eine Pfanne mit verkokelten Zwiebeln ergriffen und tut, als würde er essen. *Hm, lecker,* gibt er mir mimisch zu verstehen.

Mir kullern inzwischen vor Lachen die Tränen die Backen runter. Ich halte die Luft an, um ja partout keinen Piepser von mir zu geben. »Na gut! Bis später!«

Trish trippelt mit klappernden Absätzen davon, und ich breche in hilfloses Gelächter aus. Ich muss lachen, wie ich noch nie in meinem Leben gelacht habe. Meine Rippen tun weh, ich muss husten, mir wird fast schlecht.

Als ich es dann doch irgendwann schaffe, mich wieder zu beruhigen, wische ich mir die Augen ab und schnäuze mich kräftig. Nathaniel hat ebenfalls zu lachen aufgehört und blickt sich jetzt in der Katastrophenzone um.

»Im Ernst«, sagt er, »was wollen Sie jetzt machen? Die erwarten ein Mordsessen!«

»Ich weiß.« Neuerlich keimt hysterische Heiterkeit in mir auf, aber diesmal kämpfe ich sie tapfer nieder. »Ich weiß. Ich werde mir eben … was ausdenken müssen.«

Einen Moment lang herrscht Stille in der Küche. Nathaniel beäugt neugierig die weißen Baiserklatscher auf dem Fußboden.

»Also gut.« Ich hole tief Luft. Mit einem kleinen Schaudern streiche ich mir die verschwitzten Strähnen aus der Stirn. »Ich werde die Situation retten.«

»Sie werden die Situation retten.« Er wirkt nicht sehr überzeugt.

»Tatsächlich werde ich damit sämtliche Probleme mit einem Schlag lösen.« Ich hieve mich auf die Beine und fange an, leere Packungen zusammenzuraffen und in den Abfalleimer zu werfen. »Muss nur erst ein bisschen klar Schiff machen …«

»Ich helfe Ihnen.« Nathaniel steht auf. »Das muss ich sehen.«

In trauter Zweisamkeit leeren wir den verunglückten Inhalt von Pfannen und Töpfen und Schüsseln in den Abfall. Ich schrubbe den Schlamassel von Anrichte und Herd, und Nathaniel wischt derweil den gröbsten Dreck vom Fußboden auf.

»Wie lange arbeitest du schon hier?«, erkundige ich mich, während er den Lappen in der Spüle auswäscht.

»Seit drei Jahren. Ich war schon bei den Leuten, die vor den Geigers hier wohnten, den Ellises. Dann sind plötzlich Trish und Eddie aufgetaucht und haben mich übernommen.«

Das lasse ich erst einmal einsinken. »Warum sind die Ellises überhaupt ausgezogen? Es ist doch so ein wunderschönes Haus.«

»Ach weißt du, die Geigers haben ihnen ein Angebot gemacht, dem sie nicht widerstehen konnten.« Nathaniels Mundwinkel zucken. Ist das … ein Schmunzeln?

»Was?«, sage ich fasziniert. »Was ist passiert?«

»Na ja …« Er wirft den Lappen beiseite. »War ziemlich komisch. Das Haus wurde als Drehort für eine BBC-Serie verwendet. Zwei Wochen, nachdem die Folge im Fernsehen gelaufen war, tauchten Trish und Eddie auf der Türschwelle auf und wedelten mit einem Scheck. Offenbar hatten sie die Sendung gesehen und rausgekriegt, wo das Haus ist.«

»Wow.« Ich lache. »Haben wohl eine Stange mehr bezahlt, als es wert ist.«

»Weiß der Himmel, was sie bezahlt haben. Die Ellises haben es nie verraten.«

»Weißt du eigentlich, wie die Geigers zu all ihrem Geld gekommen sind?« Ich weiß, ich bin neugierig, aber es ist schön, mal zur Abwechslung im Leben eines anderen herumzustochern. Und das eigene vergessen zu können.

»Sie haben aus dem Nichts eine Straßenbaufirma aufgebaut und sie für 'ne hübsche Stange weiterverkauft.« Er macht sich über den letzten Klecks Eiweiß her.

»Und du selber? Vor den Ellises, meine ich?« Schaudernd schütte ich die grässliche Aprikosenpampe in den Abfall.

»Da war ich im *Merchant House*. Das ist ein Herrschaftssitz in der Nähe von Oxford. Und davor, die Uni.«

»Die Uni?«, wiederhole ich aufhorchend. »Ich wusste gar nicht, dass –«

Errötend unterbreche ich mich. Was ich sagen wollte war, ›ich wusste gar nicht, dass Gärtner studiert haben müssen‹.

»Habe Naturwissenschaften studiert.« Nathaniel sieht mich mit einem Blick an, als wüsste er ganz genau, was ich denke.

Ich mache schon den Mund auf, um ihn zu fragen, wann und wo er studiert hat, doch dann klappe ich ihn wieder zu und mache stattdessen den Abfallschredder an. Eine Unterhaltung in der Richtung »wen kennst du auf der Uni, den ich auch kenne?«, kann ich weiß Gott nicht gebrauchen. Im Moment möchte ich überhaupt an möglichst wenig aus meinem eigenen Leben erinnert werden.

Endlich sieht die Küche wieder halbwegs normal aus. Rasch trinke ich noch meinen Eierbecher aus. Dann hole ich tief Luft.

»Okay. Showtime.«

»Viel Glück.« Nathaniel hebt die Augenbrauen.

Als ich die Küchentür aufmache, sehe ich Trish und Eddie gespannt in der Eingangshalle herumlungern, mit Sherrygläsern in der Hand.

»Ah, Samantha, da sind Sie ja! Alles fertig?« Trish strahlt vor Erwartungsfreude wie ein Kronleuchter. Ich bekomme unwillkürlich ein schlechtes Gewissen wegen dem, was nun folgen muss.

Aber es gibt keinen anderen Ausweg.

Ich hole tief Luft und setze mein bestes »leider muss ich Ihnen eine traurige Mitteilung machen, liebe/r Klient/in«-Gesicht auf. »Mr. und Mrs. Geiger.« Ich blicke vom einen zum anderen, um sicherzugehen, dass ich ihre volle Aufmerksamkeit genieße. »Ich bin am Boden zerstört.«

Ich schließe die Augen und schüttle den Kopf.

»Zerstört?«, echot Trish nervös.

»Ich habe getan, was ich konnte.« Ich öffne meine Augen. »Aber ich kann mit Ihrer Ausrüstung einfach nicht arbeiten. Das Abendessen entsprach nicht meinen hohen professionellen Anforderungen. Ich konnte es unmöglich aus der Küche lassen. Die Unkosten werde ich Ihnen selbstverständlich ersetzen – und gleichzeitig meine Kündigung einreichen. Ich werde schon morgen gehen.«

So, das wär's. Geschafft. Ohne größeren Schaden.

Ich schaue unwillkürlich zu Nathaniel hin, der im Türrahmen der Küche lehnt. Er schüttelt mit einem leisen Lächeln den Kopf und zeigt mir den hochgereckten Daumen.

»*Gehen*?« Trish glotzt mich konsterniert an. Ihre blauen Augen wollen förmlich aus ihren Höhlen quellen. »Sie können doch nicht gehen! Sie sind die beste Haushälterin, die wir je hatten! Eddie, tu doch was!«

»Mrs. Geiger, nach meiner heutigen Leistung bleibt mir keine andere Wahl«, erkläre ich. »Offen gesagt, das Dinner war ungenießbar.«

»Aber das war doch nicht Ihre Schuld!«, kreischt Trish wild. »Es war *unsere* Schuld! Wir werden Ihnen sofort neue Sachen bestellen.«

»Aber –«

»Sie müssen nur sagen, was Sie brauchen. Egal was! Wir scheuen keine Kosten! Und Sie kriegen eine Gehaltserhöhung!« Von einem Geistesblitz erfasst, stößt sie hervor: »Wie viel möchten Sie haben? Sagen Sie's bitte!«

Das läuft nicht ganz so, wie ich es erwartet hatte.

»Na ja … über Geld haben wir uns eigentlich noch gar nicht unterhalten …« Etwas verlegen blicke ich zu Boden.

»*Eddie*!« Trish fällt wutentbrannt über ihren Göttergatten her. »Das ist alles *deine* Schuld! Samantha geht jetzt, weil du ihr nicht genug bezahlst!«

»Das habe ich nie behauptet –«, sage ich hilflos.

»Und sie braucht neue Töpfe und Pfannen. Nur vom Allerfeinsten natürlich.« Sie stößt Eddie den Ellbogen in die Rippen und brummelt: »Sag doch was!«

»Äh … Samantha.« Eddie räuspert sich verlegen. »Wir würden uns glücklich schätzen, wenn Sie es in Betracht ziehen könnten, vielleicht doch bei uns zu bleiben. Ihre bisherigen Leistungen haben uns mehr als überzeugt, und was immer Sie für Gehaltsvorstellungen haben … wir werden sie erfüllen.« Trish gibt ihm einen erneuten Rippenstoß. »Übertreffen.«

»Einschließlich Krankenversicherung und Rentenversicherung«, fügt Trish hinzu.

Beide beäugen mich mit geradezu flehentlicher Hoffnung.

Ich schaue zu Nathaniel hin, der den Kopf schief gelegt hat, wie um zu sagen, »warum nicht?«

Auf einmal fühle ich mich ganz komisch. Drei Leute. Und alle haben mir innerhalb von zehn Minuten gesagt, dass sie mich haben wollen.

Ich könnte bleiben. So einfach ist das.

Du kannst nicht kochen, flüstert ein inneres Stimmchen. *Du hast keinen blassen Schimmer von Hausarbeit.*

Aber ich könnte es lernen. Ich könnte all das lernen.

Die Stille dehnt sich zu unerträglicher Spannung. Selbst Nathaniels Blick hängt gebannt an mir.

»Also … also gut. Okay.« Ich muss unwillkürlich lächeln. »Gut. Wenn Sie wollen … dann bleibe ich.«

Später an diesem Abend, nachdem wir uns was vom Chinesen haben kommen lassen, hole ich mein Handy hervor und rufe im Büro meiner Mutter an.

»Schon gut, Mutter«, spreche ich auf die Mailbox. »Du brauchst deine Beziehungen nicht mehr für mich spielen zu lassen. Ich habe bereits eine Stelle.« Und damit lege ich auf.

Ein unsichtbares Band ist zerschnitten.

Ich fühle mich frei.

10

Das einzige Problem ist, dass ich jetzt *tatsächlich* eine Haushälterin sein muss.

Ich habe mir daher den Wecker für den nächsten Morgen sehr früh gestellt. Als ich in meiner drögen Dienstbotentracht unten in der Küche ankomme, wabert im Garten noch der Morgennebel. Alles ist still, nur zwei Elstern beharken sich aufgeregt zwitschernd auf dem Rasen. Ich habe das Gefühl, der einzige Mensch auf der Welt zu sein.

So leise wie möglich räume ich die Spülmaschine aus und stelle alles in die Schränke. Dann schiebe ich die Stühle zurecht. Mache mir eine Tasse Kaffee. Blicke mich in der chromglänzenden Küche um. Mein Reich. Bloß, dass es mir nicht wie mein Reich vorkommt. Mehr wie die furchteinflößende Küche von jemand anderem.

Also … was mache ich jetzt? Einfach so rumstehen geht nicht. Das macht mich ganz hibbelig. Mein Blick fällt auf einen alten *Economist*, der im Zeitschriftenständer neben dem Tisch steckt, und ich nehme ihn heraus. Müßig blättere ich darin herum und stoße auf einen interessanten Artikel über internationale Geldwirtschaft. Ich nippe an meinem Kaffee.

Doch als ich oben was höre, stecke ich die Zeitschrift hastig wieder weg. Haushälterinnen lesen schließlich keine Artikel über internationale Finanzpolitik. Ich sollte in der Küche rumwuseln, Marmelade kochen oder so was.

Bloß, dass wir mehr als genug Marmelade haben, einen ganzen Schrank voll. Außerdem weiß ich sowieso nicht, wie man Marmelade kocht.

Was sonst? Was *tut* man als Haushälterin eigentlich so den lieben langen Tag? Ich lasse den Blick erneut durch die Küche schweifen. Sieht blitzblank aus. Oh, ich könnte Frühstück machen, fällt mir ein. Aber erst muss ich wissen, was sie haben wollen …

Ich muss auf einmal an gestern denken. Trish hat mir eine Tasse Tee gebracht.

Vielleicht sollte ich ja heute *ihr* einen Tee bringen! Vielleicht warten sie ja schon fingertrommelnd darauf, dass ich mit dem verdammten Tablett auftauche.

Rasch setze ich Wasser auf und mache eine ganze Kanne voll. Die stelle ich mit zwei Tassen und Untertassen auf ein Tablett und tue, nach kurzem Überlegen, noch einen Teller Teegebäck dazu. Dann gehe ich nach oben, den dunklen, stillen Flur entlang zu Trishs und Eddies Schlafzimmer. Vor der Tür bleibe ich, plötzlich unsicher geworden, stehen.

Was jetzt?

Und wenn sie noch schlafen und ich sie aufwecke?

Ich werde ganz leise anklopfen, sage ich mir. Genau. Ein kurzes, diskretes Haushälterinnenklopfen.

Ich hebe die Hand, um zu klopfen, aber das Tablett ist zu schwer, um es mit einer Hand zu halten, und es beginnt gefährlich zu kippen. Im letzten Moment gelingt es mir gerade noch, das Ganze abzufangen, bevor die Teekanne runterknallt. Schwitzend stelle ich das schwere Tablett am Boden ab, hebe die Hand, klopfe leise und nehme dann das Tablett wieder auf.

Keine Antwort. Was jetzt?

Zögernd klopfe ich erneut.

»Eddie! Lass das!«, dringt Trishs Heulbojenstimme durch die Tür.

O Gott. Warum hören die mich nicht?

Mittlerweile muss ich einen Kopf wie eine rote Ampel haben. Und das blöde Tablett ist verflucht schwer. Ich kann doch nicht den ganzen Tag mit dem Tee vor der Tür herumstehen. Ob ich einfach wieder gehen soll? Ich wende mich ab und will besiegt davonschleichen, doch plötzlich überkommt mich eine wilde Entschlossenheit. Nein. Sei kein solcher Feigling. Ich habe Tee gemacht und den werden sie jetzt verdammt noch mal trinken. Oder anbieten werde ich ihn zumindest. Sie können mich ja wieder wegschicken, wenn es ihnen nicht passt.

Das Tablett fest umklammert, bumse ich laut damit gegen die Tür. Ha! Das *können* sie gar nicht überhört haben!

Nach einem kurzen Moment tönt Trishs Stimme durch die Tür. »Herein!«, ruft sie.

Mir fällt ein Stein vom Herzen. Alles klar. Sie haben mich erwartet. Wusste ich's doch. Irgendwie gelingt es mir, den Türknauf aufzufummeln, während ich das Tablett an der Tür abstütze. Ich stoße die Tür auf und trete ein.

Trish blickt mir vom Bett aus entgegen, in dem sie sich – allein – räkelt. Sie trägt ein schwarzes Negligé, das Haar zerzaust, um die Augen Spuren von verschmiertem Lidschatten und Wimperntusche. Erstaunt blickt sie mich an.

»Samantha«, sagt sie scharf, »was wollen Sie? Ist was nicht in Ordnung?«

Sofort habe ich das schreckliche Gefühl, etwas falsch gemacht zu haben. Mein Blick ist wie hypnotisiert auf sie gerichtet, doch allmählich beginne ich aus den Augenwinkeln gewisse Einzelheiten wahrzunehmen. Auf dem Boden liegt ein Buch mit dem Titel *Rausch der Sinne*. Daneben eine Flasche mit Massageöl. Sorte »Moschus«. Und …

Eine sichtlich eselsohrige Ausgabe von *Joy of Sex*. Aufgeschlagen auf dem Nachtkästchen. »Wie man es auf türkisch macht«, versuche ich *nicht* zu lesen.

144

Okay. Sie haben also keinen Tee erwartet.

Schluck. Jetzt bloß nichts anmerken lassen. Ich habe nichts gesehen. Gar nichts.

»Ich ... äh ... bringe Ihnen den Tee, Madam«, sage ich mit vor Nervosität schwankender Stimme. »Ich dachte ... Sie möchten vielleicht eine Tasse.«

Bloß nicht auf *Joy of Sex* gucken. Augen stur geradeaus.

Trishs Züge entspannen sich.

»Samantha! Sie Schatz! Stellen Sie's ab! Stellen Sie's ab!« Sie wedelt mit der Hand in Richtung Nachtkästchen.

Gerade als ich darauf zusteuern will, geht die Badezimmertür auf und Eddie kommt heraus. Alles, was er anhat, ist eine viel zu enge Boxershorts. Seine Brust ist geradezu erschreckend behaart.

Himmel.

Irgendwie gelingt es mir, nicht das ganze Tablett fallen zu lassen.

»Tut mir ... tut mir schrecklich Leid«, stammle ich, zurückweichend. »Ich wusste nicht ...«

»Seien Sie nicht albern! Kommen Sie!«, ruft Trish fröhlich aus. Meine Anwesenheit im Schlafzimmer scheint ihr plötzlich überhaupt nichts mehr auszumachen. »Wir sind doch nicht *prüde*.«

Okay, ich wünschte, sie wären es. Vorsichtig nähere ich mich dem Bett, wobei ich über einen pflaumenblauen Spitzen-BH steigen muss. Dezent schiebe ich auf Trishs Kommode ein Foto von Trish und Eddie beiseite, dann stelle ich schnell das Tablett ab. Auf dem Foto sitzen sie – wie peinlich! – in einem Jacuzzi und prosten sich mit Sektflöten zu.

So schnell ich kann, gieße ich zwei Tassen ein und reiche jedem der beiden eine. Es ist mir unmöglich, Eddie in die Augen zu sehen. In welchem Job sieht man schon seinen Boss wie Gott ihn erschaffen hat?

Da kommt mir nur eine einzige andere Profession in den Sinn. Was es nicht gerade leichter macht.

»Also … dann gehe ich jetzt wieder«, murmle ich mit gesenktem Kopf.

»Wozu die Eile?« Trish nippt genießerisch an ihrem Tee. »Mmm. Jetzt, wo Sie schon mal da sind, würde ich gerne einen kleinen Schwatz halten! Sehen, wo wir *stehen*, Sie wissen schon.«

»Äh … gut.« Ihr Nachthemdchen klafft auf, und ich kann eine Brustwarze sehen. Hastig wende ich den Blick ab, nur um mich mit dem bärtigen Kerl in *Joy of Sex* konfrontiert zu sehen, der alle möglichen Verrenkungen macht.

Ohne es zu wollen, sehe ich plötzlich Trish und Eddie vor mir. In genau derselben Stellung.

Nicht. Aufhören.

Ich spüre, wie ich knallrot anlaufe. Wie seltsam, wie bizarr ist es eigentlich, im Schlafzimmer von zwei praktisch wildfremden Menschen zu stehen und buchstäblich *gezeigt* zu kriegen, wie sie Sex haben? Und es scheint ihnen nicht mal was auszumachen …

Doch dann geht mir ein Licht auf. Klar! Ich gehöre zum Personal. Ich zähle nicht.

»Also, ist alles so weit in Ordnung, Samantha?« Trish stellt ihre Tasse ab und blickt mich aus kleinen Perlenaugen an. »Sie finden sich zurecht? Alles unter Kontrolle?«

»Selbstverständlich.« Ich angle fieberhaft nach einer kompetent klingenden Floskel. »Öh – ich habe das Dings, äh, die Dinge fest im Griff.« Aaaah. »Ich meine … mir schlüpft nichts durch die Finger.«

Aaaah.

»Na prima!«, flötet sie. »Wusste ich's doch! Sie brauchen keine Hilfe, Sie finden sich auch so zurecht!«

»Kann man wohl sagen!«

Trish nimmt strahlend einen Schluck Tee. »Und heute werden Sie sich wohl an die große Wäsche machen, wie?«

Die Wäsche. Auf den Gedanken wäre ich nie gekommen.

»Würden Sie dann auch bitte gleich die Bettwäsche wechseln? Aber erst wenn Sie ohnehin die Betten machen.«

Betten machen? Auf den Gedanken wäre ich auch nie gekommen. Eine leise Panik durchzuckt mich. Nicht nur, dass ich die Dinge nicht im Entferntesten »im Griff« habe – ich weiß nicht mal, was »die Dinge« sind!

»Nun … natürlich habe ich meine eigene … äh … Vorgehensweise«, behaupte ich so lässig wie möglich. »Aber es wäre trotzdem gut, wenn Sie mir eine Liste meiner Pflichten zusammenstellen würden.«

»Ach.« Trish wirkt ein wenig irritiert. »Wenn Sie das wirklich für nötig halten.«

»Und ich, Samantha, möchte später Ihren Anstellungsvertrag mit Ihnen durchgehen«, erklärt Eddie. Er steht mit einer Hantel vor dem Spiegel. »Damit Sie wissen, worauf Sie sich eingelassen haben.« Er lacht dreckig. Dann, mit einem leisen Grunzen, wuchtet er die Hantel hoch, wobei sein Wabbelbauch beeindruckende Wellenbewegungen vollführt, ein Anblick, der mein Frauenherz nicht gerade höher schlagen lässt.

»Also … äh … ich muss dann wieder …« Hastig trete ich den Rückzug in Richtung Tür an, den Blick starr auf den Boden gerichtet.

»Dann bis später, zum Frühstück«, trällert Trish und winkt mir fröhlich vom Bett aus zu. »Ciao, ciao!«

Ich werde nicht schlau aus Trishs Launen. Gerade waren wir noch im Herrin-Hausmädchen-Modus und jetzt winkt sie mir zu wie einer frischgebackenen Kreuzfahrtbekanntschaft.

»Äh … tschüss!«, versuche ich mich der munteren Stimmung anzupassen. Ich knickse, trete vorsichtig über den pflaumenblauen BH und verdrücke mich, so schnell ich kann.

Die Zubereitung des Frühstücks verläuft nicht *ganz* ohne Schwierigkeiten. Erst nach drei Fehlversuchen gelingt es mir, eine Grapefruit in zwei gleich große Hälften zu teilen. Was in der Tat gar nicht so leicht ist. Warum machen die nicht einfach einen Strich um die blöde Grapefruit herum: »Bitte hier schneiden!« Oder gleich eine Perforationslinie? Inzwischen kocht auch noch die Milch für den Kaffee über. Und als ich erschrocken die Kaffeedose absetze, staubt mir das ganze Pulver ins Gesicht. Zum Glück sind Trish und Eddie nebenan so damit beschäftigt, sich darüber zu streiten, wo sie im nächsten Urlaub hinfahren sollen, dass sie gar nicht merken, was in der Küche los ist. Oder meine Schreckensschreie hören.

Auf der Plusseite kann ich vermelden, dass ich glaube, den Toaster allmählich in den Griff zu kriegen.

Nach dem Frühstück räume ich als Erstes das dreckige Geschirr in die Spülmaschine. Ich bin gerade dabei, mir fieberhaft den Kopf darüber zu zerbrechen, wie ich das Dings gestern zum Laufen gebracht habe, als Trish hereinkommt.

»Samantha, Mr. Geiger möchte Sie in seinem Studierzimmer sprechen«, verkündet sie hoheitsvoll. »Wegen des Anstellungsvertrags, Sie wissen schon. Bitte lassen Sie ihn nicht warten!«

»Äh … sehr wohl, Madam.« Ich knickse und streiche meine Uniform glatt. Dann gehe ich hinaus, durchquere die Eingangshalle und klopfe zweimal an die Tür von Eddies »Studierzimmer«.

»Herein!«, dröhnt es gut gelaunt durchs Holz, und ich öffne die Tür. Eddie sitzt hinter seinem Schreibtisch, einem wuchtigen Möbel aus massivem Mahagoni mit geprägten Lederintarsien. Darauf steht ein ziemlich teuer aussehender Laptop. Eddie ist mittlerweile – Gott sei Dank – vollständig angezogen, in brauner Golfhose und Polohemd. Sein Aftershave riecht man im ganzen Zimmer.

»Ah, Samantha. Sind Sie bereit für unser kleines Meeting?«
Eddie winkt mich auf einen hochlehnigen Stuhl, und ich setze
mich. »Also dann! Hier ist es! Das heiß ersehnte Dokument!«

Mit wichtigtuerischer Geste überreicht er mir eine Mappe
auf der HAUSHÄLTERINNENVERTRAG steht. Ich schlage
sie auf und stoße auf ein Titelblatt aus dickem, künstlich ver-
gilbtem Papier. Das Ganze erinnert an eine alte Pergamentrolle. Darauf stehen in verschnörkelten, mittelalterlichen Lettern
folgende Worte:

Anstellungsvertrag
Zwischen Samantha Sweeting
und Mr. und Mrs. Edward Geiger.
Geschlossen an diesem Tage,
dem zweiten Juli,
im Jahre des Herrn
Zweitausendundvier

»Wow«, stoße ich überrascht hervor. »Haben Sie das ... von einem Anwalt aufsetzen lassen?«

Ich kann mir keinen Rechtsanwalt vorstellen, der einen Anstellungsvertrag in pseudomittelalterlicher Kitschschrift verfas-
sen, geschweige denn eine alte Pergamentrolle als Deckblatt
verwenden würde.

»Pah, Anwälte! Die brauche ich nicht.« Eddie gibt ein wis-
sendes Glucksen von sich. »Das Spielchen spiele ich nicht mit.
Knöpfen einem ein Vermögen ab, für das bisschen Latein. Lassen Sie sich das von mir gesagt sein, Samantha, so was kann
man mit ein bisschen Verstand ganz leicht selber aufsetzen.« Er
zwinkert mir zu.

»Da haben Sie sicher Recht«, entscheide ich mich schließlich zu sagen. Ich blättere das Titelblatt um und überfliege den
Vertragstext.

Ach, du meine Güte. Was ist das denn? Ich muss mir auf die Lippe beißen, um nicht laut aufzulachen, während ich hier und da einen Satz lese.

... Samantha Sweeting (nachfolgend Probandin genannt) ...

Probandin? Weiß er überhaupt, was das heißt?

... insofern, als posthum genannte kulinarische Dienstleistungen, prima facie, leichte Snacks und Getränke inklusivieren, aber nicht exklusivieren ...

Meine Lippen sind fest aufeinander gepresst. Ich *darf* nicht lachen.

Bezugnehmend auf Prädisputiertes, verpflichten sich sämtliche Parteien, ipso facto, gratifizierte Rechte bindend und zweifelsfrei einzuhalten. Coitus ergo sum!

Wie? *Wie bitte?*

Das Ganze ist ein haarsträubender Mischmasch aus willkürlich aneinander geklebten, pseudojuristischen Floskeln. Damit will Eddie wohl ordentlich Eindruck schinden. Meine Gesichtszüge mit aller Macht unter Kontrolle haltend, überfliege ich den Rest des Textes, ohne dass mir eine angemessene Reaktion darauf einfallen will.

»Also, ich weiß, das klingt ziemlich beängstigend«, sagt Eddie schließlich, mein Schweigen missdeutend. »Aber lassen Sie sich von all den langen Wörtern bloß nicht bange machen. Eigentlich ist es ganz einfach. Haben Sie schon einen Blick auf Ihr Gehalt geworfen?«

Mein Blick huscht zu der fett gedruckten Zahl, die unter der Überschrift »Wochengehalt« prangt. Es ist beinahe so viel, wie ich als Rechtsanwältin pro Stunde in Rechnung gestellt habe.

»Erscheint mir mehr als großzügig«, sage ich nach kurzer Pause. »Herzlichen Dank, Sir.«

»Gibt es irgendwas, das Sie nicht verstehen?« Er strahlt mich gutmütig an. »Immer heraus damit!«

Wo soll ich da bloß anfangen?

»Äh … das da.« Ich deute auf *Paragraph 7: Arbeitszeit.* »Soll das heißen, ich habe das ganze Wochenende frei? Jedes Wochenende?«

»Aber natürlich«, antwortet Eddie, sichtlich überrascht. »Wir würden Ihnen doch nicht Ihre Wochenenden nehmen wollen! Außer, es gibt einen besonderen Anlass. In dem Falle würden wir Sie extra vergüten … steht alles unter Paragraph 9 …«

Ich höre nicht mehr hin. Jedes Wochenende frei. Ich kriege das gar nicht in meinen Kopf. Ich glaube, ich hatte kein freies Wochenende mehr, seit ich zwölf war.

»Toll. Einfach toll.« Ich blicke strahlend auf, ich kann einfach nicht anders. »Vielen, vielen Dank!«

»Haben Sie denn in Ihrer letzten Stelle nicht jedes Wochenende frei bekommen?« Eddie wirkt schockiert.

»Nein, eigentlich nicht«, antworte ich wahrheitsgemäß.

»Die scheinen ja die reinsten Sklaventreiber gewesen zu sein! Also, bei uns gibt es das nicht!« Er strahlt. »So, und jetzt lasse ich Sie kurz allein, damit Sie sich den Vertrag in aller Ruhe ansehen können, bevor Sie unterschreiben.«

»Eigentlich habe ich ihn schon so gut wie –« Ich unterbreche mich, weil Eddie vorwurfsvoll die Hand gehoben hat.

»Samantha, Samantha, Samantha«, sagt er in onkelhaftem Ton und schüttelt den Kopf. »Ich werde Ihnen jetzt einen guten Rat geben, den Sie sich für Ihr künftiges Leben merken sollten. Verträge *immer* gut durchlesen, bevor man was unterschreibt.«

Ich starre ihn einen Moment lang reglos an. Meine Nase juckt von der Anstrengung, ernst zu bleiben.

»Jawohl, Sir«, kriege ich schließlich heraus. »Ich werde versuchen, es mir zu merken.«

Sobald Eddie verschwunden ist, schaue ich wieder auf den Vertrag und verdrehe die Augen. Automatisch greife ich zum Bleistift und beginne, den Text zu korrigieren, hier etwas umzuformulieren, da etwas zu streichen, Anmerkungen an den Rand zu kritzeln.

Jäh halte ich inne.

Was zum Teufel mache ich da eigentlich?

Hastig schnappe ich mir einen Radiergummi und radiere alles wieder aus, was ich dazugeschrieben habe. Dann nehme ich einen Kuli zur Hand und gehe zum Ende des Texts, wo eine Cartoon-Eule in Anwaltsrobe auf eine gestrichelte Linie zeigt.

Name: Samantha Sweeting
Beruf:

Ich zögere und füge dann »Haushaltskraft« hinzu.

Ein Gefühl der Unwirklichkeit erfasst mich, während ich die Worte niederschreibe. Ich mache es tatsächlich. Ich nehme diese Stellung an – weit, weit weg von meinem alten Leben. Und keiner weiß, was ich tue.

Auf einmal sehe ich Mutter vor mir, ihr Gesicht, wenn sie wüsste, wo ich im Moment bin … wenn sie mich in meiner Dienstmädchentracht sehen könnte … Sie würde *ausflippen*. Fast bin ich versucht, sie anzurufen und ihr zu erzählen, was ich mache.

Aber das werde ich nicht. Ich habe gar keine Zeit, groß darüber nachzudenken. Ich muss große Wäsche machen.

Ich muss zweimal laufen, bis ich den ganzen Wäscheberg endlich in der Waschküche habe. Der Inhalt der überquellenden

Körbe landet erst mal auf dem gefliesten Fußboden, bevor ich mich der Hightech-Waschmaschine zuwende. Sollte eigentlich ein Kinderspiel sein.

Obwohl ich mich auf diesem Gebiet nicht gerade gut auskenne. Oder überhaupt auskenne. Ich habe immer alles, bis auf die Unterwäsche, in die Reinigung gegeben. Was aber nicht heißen soll, dass ich es nicht *kann*. Ich muss nur meinen Grips anstrengen. Versuchsweise öffne ich die Waschmaschinentrommel, und sofort fängt das Display hektisch zu blinken an: WASCHEN? WASCHEN?

Ich bin sofort verunsichert. *Natürlich* waschen, hätte ich am liebsten gerufen. Lass mir bloß ein bisschen Zeit, die blöde Wäsche reinzutun. Ich hole tief Luft. Nur die Ruhe. Immer eins nach dem anderen. Erster Schritt: Wäsche rein. Ich raffe einen Haufen Kleidung zusammen, doch bevor ich sie in die Maschine tue, halte ich inne.

Nein. Erster Schritt: Wäsche sortieren. Zufrieden mit mir, weil ich daran gedacht habe, fange ich an, die Schmutzwäsche zu sortieren. Die Schildchen konsultierend, mache ich auf dem Fußboden verschiedene Häufchen.

Weißes (40 Grad)

Kochwäsche (90 Grad)

Buntwäsche (40 Grad)

Links waschen. *(Wie?)*

Separat waschen.

Im Schongang waschen.

Im Extra-Schongang waschen.

Als der erste Korb sortiert ist, könnte die Verwirrung nicht größer sein. Ich habe ungefähr zwanzig Häufchen vor mir auf dem Fußboden liegen, die meisten davon bestehen aus nur einem Teil. Lächerlich. Ich kann doch nicht zwanzig Waschgänge machen. Da wäre die Wäsche am Ende der Woche noch nicht fertig.

Und was soll ich jetzt tun? Wie soll ein Mensch daraus schlau werden? Frust überkommt mich. Und eine leichte Panik. Jetzt bin ich schon eine Viertelstunde hier und habe noch nicht einmal angefangen.

Okay … betrachten wir es einmal ganz rational. Menschen waschen Wäsche, jeden Tag, überall auf der Welt. Es kann also nicht so schwer sein. Ich muss eben einfach ein bisschen mischen und kombinieren.

Ich raffe einen Arm voll Wäsche vom Boden auf und stopfe sie in die Trommel. Dann schaue ich in ein Schränkchen und sehe mich mit einer Unmenge von Waschmitteln konfrontiert. Welches nehmen? All die Namen, die ich nur aus der TV-Werbung kenne. *Fleckenlos weiß. Blütenrein. Weißer als weiß. Biologisch abbaubar. Waschmaschinen leben länger mit Calgon.*

Ich will gar nicht, dass diese Waschmaschine länger lebt. Ich will nur, dass sie die Scheißwäsche wäscht.

Schließlich entscheide ich mich für eine Packung mit weißen T-Shirts drauf, schüttle ein wenig Pulver in das kleine Plastikfach und, zur Sicherheit, auch noch was in die Trommel. Kann nicht schaden. Entschlossen klappe ich den Deckel zu. Und jetzt?

WASCHEN?, blinkt es mir immer noch entgegen. WASCHEN?

»Äh … ja!«, sage ich. »Wasch das mal.« Und drücke auf den nächstbesten Knopf.

PROGRAMM EINGEBEN blinkt es mir zu.

Programm?

Suchend blicke ich mich um. Ah, da steht das Handbuch, hinter einer Sprühflasche. Ich nehme es und schlage es auf.

Halbe Wäschemenge nur bei leicht verschmutzter Wäsche (Vorwaschgang) A3-E2 und Nachspülprogrammen G2-L7, außer H4.

Was?

Jetzt komm schon. Du hast in Cambridge studiert. Du

kannst Latein, verdammt noch mal. Du kriegst das raus. Ich blättere eine Seite weiter.

Kein Schleudern bei Programmen E5 und F1, AUSSER man drückt vor Beginn Schalter »S« für fünf Sekunden ODER – nur Programm E5! – während des Waschvorgangs zehn Sekunden lang (nicht bei Wolle!).

Ich kann das nicht. Mein Examen in Wirtschaftsrecht war tausendmal leichter als das hier. Also gut, weg mit dem blöden Handbuch. Wollen doch mal unseren gesunden Menschenverstand benutzen. In bester kompetenter Haushälterinnenmanier drücke ich auf das Tastenfeld.

PROGRAMM K3?, blinkt mich die Maschine an. PROGRAMM K3?

Nein, das klingt nicht gut. Das gefällt mir nicht. Das klingt irgendwie finster. Wie ein Berggipfel oder eine geheime Regierungsverschwörung.

»Nein«, widerspreche ich laut und drücke einen anderen Knopf. »Ich will was anderes.«

SIE HABEN PROGRAMM K3 GEWÄHLT, blinkt es mich an.

»Ich will aber nicht K3!«, stoße ich ärgerlich hervor. »Los, ich will was anderes!« Ich drücke auf sämtliche Knöpfe, aber die blöde Maschine ignoriert mich. Wasser läuft rauschend in die Maschine ein und ein grünes Licht geht an.

PROGRAMM K3, blinkt das Display. HOCHLEISTUNGS-WASCHPROGRAMM FÜR POLSTERBEZÜGE

Hochleistungswaschprogramm? *Polsterbezüge?*

»Halt, aufhören«, zische ich und hämmere auf die Tastatur ein. »Halt!« In meiner Verzweiflung versetze ich der Maschine einen Tritt. *»Stop!«*

»Bei Ihnen alles in Ordnung?«, höre ich plötzlich Trishs Stimme aus der Küche. Ich springe wie ein aufgescheuchtes Huhn von der Waschmaschine weg.

155

»Äh … prima! Alles klar!« Als sie in der Tür auftaucht, setze ich hastig ein professionelles Lächeln auf. »Ich … mache bloß die Wäsche.«

»Prima!« Sie hält ein gestreiftes Hemd hoch. »Also, Mr. Geiger hat einen Knopf verloren. Wären Sie so nett …«

»Aber sicher!« Einen Kloß von der Größe eines Tennisballs herunterschluckend, nehme ich das Hemd entgegen.

»Und hier wäre die Liste mit Ihren Aufgaben im Haus!« Sie reicht mir ein Blatt. »Sie ist keineswegs *vollständig*, aber als *Anfang* …«

Mir wird ein wenig schwach, als ich mir die Aufstellung ansehe.

Betten machen … Eingangsstufen fegen und aufwischen … Zimmerpflanzen gießen und pflegen … alle Spiegel im Haus putzen … Küchenschränke regelmäßig ausräumen und feucht auswischen … Wäsche waschen … Bäder täglich putzen …

»Da ist doch nichts dabei, das Ihnen Schwierigkeiten machen würde, oder?«, fragt Trish.

»Äh … nein!«, antworte ich ein wenig erstickt. »Nein, nein, das geht schon klar!«

»Aber zuerst sollten Sie sich um die Bügelwäsche kümmern«, bemerkt sie energisch. »Es ist leider eine ganze Menge zusammengekommen. Hat sich sozusagen *aufgetürmt* …« Aus irgendeinem Grunde blickt Trish nach oben. Mit einem leicht mulmigen Gefühl im Bauch folge ich ihrem Blick. Über uns hängt an einem hölzernen Trockengitter ein wahrer Berg zerknitterter Hemden und Blusen. Mindestens dreißig.

Ich fühle mich auf einmal ein wenig wackelig auf den Beinen. Ich kann keine Hemden bügeln. Ich habe noch nie im Leben ein Bügeleisen in der Hand gehabt. Was soll ich jetzt tun?

»Die haben Sie sicher in null Komma nix erledigt!«, fügt sie fröhlich hinzu. »Da ist übrigens das Bügelbrett.« Sie weist mit einem Nicken auf besagten Gegenstand.

»Äh, danke!«, stammle ich.

Wichtig ist jetzt nur eins: eine glaubhafte Figur machen. Ich greife zum Bügelbrett, als würde ich so etwas jeden Tag tun. Energiegeladen zerre ich an einem Metallbein, aber es rührt sich nicht. Ich versuche ein anderes. Vergebens. Ich zerre mit wachsender Wut im Bauch, bis ich vor Anstrengung einen roten Kopf habe, doch das beschissene Ding will einfach nicht. Wie soll ich das Mistdings bloß aufkriegen?

»Da gibt es einen Bügel, den man runterdrücken muss«, merkt Trish erstaunt an. »Unter dem Brett.«

»Ach ja, natürlich!« Ich werfe ihr ein strahlendes Lächeln zu und taste und drücke dann verzweifelt unter dem Brett herum, bis das ganze Ding ohne Vorwarnung zwei Beine herausschießen lässt. Es rutscht mir aus der Hand und sinkt prompt auf eine Höhe von zwanzig Zentimetern herab, wo es einrastet.

»Ahaha!«, lache ich verlegen. »Tja dann ... dann stelle ich mir das jetzt noch schnell ein.«

Ich hebe das Bügelbrett hoch und versuche, die Beine weiter runterzulassen, aber der Hebel will sich nicht rühren. Mit hochroten Wangen fummele ich an dem Bügelbrett herum, drehe und wende es, drücke hier, ziehe da. *Wieso will das Scheißdrecksding nicht?*

»Wenn ich es recht bedenke«, bemerke ich beiläufig, »ist mir ein niedriges Bügelbrett sowieso lieber. Ich lasse es, wie es ist.«

»Aber da unten können Sie doch unmöglich bügeln!«, ruft Trish mit einem ungläubigen Lachen aus. »Einfach am Hebel drücken! Er klemmt ein bisschen, zugegeben. Warten Sie, ich zeig's Ihnen.«

Sie nimmt mir das Bügelbrett ab und hat es mit zwei Handgriffen auf die richtige Höhe eingestellt. »Sie sind wahrscheinlich ein anderes Modell gewöhnt«, fügt sie weise hinzu, während das Teufelsbrett einrastet. »Die haben alle so ihre kleinen Macken.«

»Ganz genau!« Erleichtert stürze ich mich auf die angebotene Ausrede. »Klar! Ich bin mehr an … an … an den Nimbus 2000 gewöhnt.«

Trish blickt mich überrascht an. »Ist das nicht der Besen aus Harry Potter?«

Mist.

Wusste ich doch, dass ich das irgendwo gehört habe.

»Ja … stimmt«, stottere ich mit glühenden Wangen. »Aber eben auch ein sehr bekanntes Bügelbrett. Ich glaube sogar, dass der Besen … äh … nach dem Bügelbrett benannt wurde.«

»Ach wirklich?«, sagt Trish fasziniert. »Das wusste ich ja gar nicht!« Zu meinem Schrecken lehnt sie sich an die Tür und zündet sich eine Zigarette an. »Achten Sie gar nicht auf mich!« Sie pafft an ihrem Glimmstängel. »Machen Sie einfach weiter!«

Weitermachen?

»Da ist das Bügeleisen.« Sie wedelt mit der Hand. »Hinter Ihnen.«

»Äh … prima! Danke!« Ich ergreife das Bügeleisen und stecke es, so langsam wie möglich, ein. Das Herz klopft mir bis zum Hals. Ich kann das nicht. Ich muss sehen, wie ich aus dieser Situation rauskomme. Aber mir fällt nichts ein. Mein Gehirn ist wie leer gefegt.

»Jetzt ist es, glaube ich, heiß genug!«, flötet Trish hilfsbereit.

»Ach ja.« Ich lächle sie an. Mir ist ganz mulmig vor Angst.

Aber ich habe keine Wahl. Jetzt heißt es bügeln. Ich zupfe ein Hemd von der Stange und breite es ungeschickt auf dem Bügelbrett aus. Was jetzt? Ich weiß nicht mal, wie anfangen.

»Mr. Geiger liebt seine Kragen nicht übermäßig gestärkt«, bemerkt Trish.

Übermäßig was? Mein Blick huscht wie wild durch den Raum und landet auf einer Flasche mit einem Schildchen, auf dem »Sprühstärke« steht.

»Ach ja!« Tapfer schlucke ich meine Panik herunter. »Tja,

also … das mit dem Stärken … dazu kommen wir gleich … denke ich. Äh.«

Ohne recht fassen zu können, was ich da tue, greife ich zum Bügeleisen. Es ist viel schwerer, als ich gedacht hatte, und verströmt böse zischend eine mächtige Dampfwolke. Mit spitzen Fingern beginne ich, das Eisen auf das Hemd abzusenken. Ich habe keine Ahnung, auf welche Stelle ich ziele. Könnte sein, dass meine Augen zu sind.

Plötzlich schrillt in der Küche das Telefon. *Lieber Gott. Danke! Danke!*

»Ach, wer könnte das jetzt sein?«, sagt Trish stirnrunzelnd. »Entschuldigen Sie mich, Samantha. Ich sollte …«

»Macht doch nichts!« Meine Stimme ist ein klein bisschen zu schrill. »Null Problemo! Ich mache dann hier …«

Sobald Trish draußen ist, stelle ich das Bügeleisen mit einem Rums ab und vergrabe das Gesicht in den Händen. Ich muss irre sein. Das läuft nicht. Das läuft nie. Ich bin nun mal kein Hausmütterchen. Das Bügeleisen bläst mir eine Dampfwolke ins Gesicht, und ich zucke mit einem Aufschrei zurück. Ich reiße den Stecker heraus und sinke erschöpft gegen die Wand. Erst neun Uhr zwanzig und ich bin jetzt schon ein Wrack.

Und ich dachte, als Rechtsanwältin hätte man es stressig.

11

Als Trish wieder auftaucht, geht es mir schon ein wenig besser. Ich habe die Tür zum Wäscheraum erst mal hinter mir zugemacht und mich in die Küche verkrochen. Ich schaffe das schon. Natürlich schaffe ich das. Ist ja nicht Quantenphysik. Ist nur *Hausarbeit*.

»Samantha, ich fürchte, wir müssen Sie heute *im Stich lassen*«, verkündet Trish mit einem besorgten Gesichtsausdruck.

»Mr. Geiger geht zum Golfspielen, und ich muss mich mit einer *lieben* Freundin treffen, um mir ihren neuen Mercedes anzusehen. Sie werden doch ohne uns zurechtkommen?«

»Aber sicher!« Ich versuche, mir meine Erleichterung nicht allzu sehr anmerken zu lassen. »Machen Sie sich um mich bitte keine Sorgen. Ehrlich nicht. Ich werde hier einfach …«

»Sind Sie mit dem Bügeln schon fertig?« Sie wirft einen beeindruckten Blick in Richtung Waschküche.

Fertig? Wofür hält sie mich? Für Superwoman?

»Nein, eigentlich habe ich mir überlegt, das Bügeln im Augenblick bleiben zu lassen und stattdessen mit dem Rest des Hauses anzufangen«, sage ich, um einen möglichst sachlichen Ton bemüht. »So mache ich das immer.«

»Ach ja, ich verstehe.« Eifriges Nicken. »Wie immer Sie wollen. Leider werde ich jetzt nicht da sein, falls Sie eine Frage haben, aber Nathaniel kann Ihnen ja weiterhelfen!« Sie weist in Richtung der offenen Gartentür. »Sie haben Nathaniel schon kennen gelernt?«

»Oh«, sage ich, als er in zerrissener Jeans und mit zerzausten Haaren hereinkommt. »Äh … ja. Hallo.«

Ein irgendwie komisches Gefühl, ihn heute, nach dem gestrigen Desaster, wiederzusehen. Als sich unsere Blicke begegnen, zuckt es unmerklich um seine Mundwinkel.

»Hallo«, sagt er. »Wie läuft's?«

»Prima! Echt prima!«

»Nathaniel weiß *alles*, was es über dieses Haus zu wissen gibt«, meldet sich Trish wieder zu Wort, die gerade Lippenstift aufträgt. »Wenn Sie also irgendwas nicht finden sollten … eine Tür nicht aufkriegen oder so … wenden Sie sich an ihn.«

»Ich werde darauf zurückkommen«, sage ich. »Danke.«

»Aber Nathaniel, ich möchte nicht, dass Sie Samantha *stören*«, fügt Trish mit strengem Blick hinzu. »Sie muss in Ruhe arbeiten können. Sie hat Ihr eigenes System, wissen Sie.«

»Offensichtlich«, sagt Nathaniel und nickt ernst dazu. Als Trish sich abwendet, wirft er mir einen belustigten Blick zu und ich merke, wie mir die Röte in die Wangen schießt.

Was soll das schon wieder heißen? Traut er mir nicht zu, dass ich ein eigenes System habe? Bloß weil ich nicht kochen kann, heißt das doch noch lange nicht, dass ich *überhaupt nichts* kann.

»Dann kommen Sie also klar?« Trish greift zu ihrer Handtasche. »Sie wissen, wo die ganzen Putzmittel stehen?«

»Äh …« Unsicher blicke ich mich um.

»In der Waschküche!« Sie verschwindet für einen Moment und taucht dann mit einer riesigen blauen Plastikwanne voller Putzmittel auf, die sie mit einem Plumps auf dem Tisch absetzt. »Da, bitte schön! Und vergessen Sie nicht die Bremsbereifung!«

Äh … was?

»Gummihandschuhe«, erklärt Nathaniel. Er nimmt ein rosa Exemplar aus der Wanne, in die noch ein Klempner seine Pranken hätte hineinschieben können, und überreicht es mir mit einer Verbeugung.

»Ach ja, danke«, sage ich würdevoll. Ich habe noch nie in meinem Leben Gummihandschuhe angehabt. Angeekelt, aber um eine tapfere Miene bemüht, streife ich sie über.

Bäh. Meine Güte. So was Wabbeliges, Gummiartiges … *Abstoßendes* ist mir noch nie untergekommen. Und die muss ich *den ganzen Tag* tragen?

»Tschüssikowski!«, trällert Trish von der Einganshalle und die Eingangstür fällt ins Schloss.

»Tja dann«, sage ich. »Mache ich mich mal an die Arbeit.«

Doch anstatt zu gehen, lehnt sich Nathaniel an den Tisch und betrachtet mich forschend. »Du weißt hoffentlich, wie man putzt?«

Allmählich geht er mir auf die Nerven. Sehe ich etwa aus, als wüsste ich es nicht?

»Natürlich weiß ich, wie man putzt.« Ich verdrehe die Augen.

161

»Es ist nur, ich habe gestern mit Mutter gesprochen.« Er grinst bei diesem Gedanken, und ich werde sofort misstrauisch. Was hat er ihr erzählt? »Na, jedenfalls«, Nathaniel blickt auf, »sie hat nichts dagegen, dir das Kochen beizubringen. Und ich habe ihr gesagt, du bräuchtest wahrscheinlich auch den ein oder anderen Ratschlag, was das Saubermachen und all das betrifft –«

»Brauche ich nicht!«, entgegne ich entrüstet. »Ich habe schon oft sauber gemacht. Also, ich muss jetzt loslegen.«

»Bitte, lass dich von mir nicht stören.« Nathaniel zuckt die Achseln.

Ich werd's ihm schon zeigen. Geschäftsmäßig greife ich mir eine Dose aus der Wanne und sprühe damit auf die Anrichte. Na bitte. Wer sagt, ich wüsste nicht, was ich tue?

»Du hast also schon oft sauber gemacht«, bemerkt Nathaniel, während er mich beobachtet.

»Ja. Schon tausendmal.«

Der Spray ist zu kleinen, grauen, kristallinen Tröpfchen erstarrt. Ich reibe energisch mit einem Lappen darüber – aber sie gehen nicht weg. Mist.

Ich schaue mir die Dose genauer an. NICHT FÜR GRANITOBERFLÄCHEN GEEIGNET. *Scheiße.*

»Na, jedenfalls«, sage ich und decke die Flecken hastig mit dem Lappen ab. »Stehst du mir im Weg.« Ich hole einen Staubwedel aus der blauen Wanne und beginne damit, die Brösel vom Küchentisch zu fegen. »Wenn du mich jetzt entschuldigen würdest …«

»Na gut, dann werde ich dich mal in Ruhe lassen«, sagt Nathaniel und seine Mundwinkel zucken schon wieder. Sein Blick ruht auf dem Staubwedel. »Solltest du dafür nicht lieber Schaufel und Besen nehmen?«

Unsicher schaue ich den Staubwedel an. Was soll damit denn nun wieder nicht stimmen? Und wer hat ihn zur Putzpolizei ernannt?

»Ich mache das auf meine Art«, erkläre ich und strecke das Kinn vor. »Danke vielmals.«

»Okay.« Er grinst. »Dann bis später.«

Ich werde mich doch von ihm nicht durcheinander bringen lassen. Ich bin doch wohl in der Lage, ein Haus sauber zu machen. Alles was ich brauche, ist … ein Plan. Ja. Einen Zeitplan, wie in der Kanzlei.

Sobald Nathaniel gegangen ist, nehme ich Papier und Bleistift zur Hand und schreibe mir eine Liste für den Tag. Ich sehe mich dabei mühelos von einer Aufgabe zur anderen schreiten (oder tänzeln), Bürste in der einen Hand, Staubwedel in der anderen. Wie Mary Poppins.

9:30–9:36 Betten machen
9:36–9:42 Wäsche aus der Maschine nehmen und in Trockner tun
9:42–10:00 Bäder putzen

Als ich fertig bin, lese ich alles noch einmal durch. Frischer Optimismus durchflutet mich. Schon besser. Viel besser. Wenn ich so weitermache, sollte ich eigentlich bis Mittag fertig sein.

9:36
Mist. Von wegen Betten machen. Wie kriegt man bloß das Laken glatt?

9:42
Müssen Matratzen so elend schwer sein?

9:54
Das ist die reinste Folter. Mir fallen gleich die Arme ab. Die Decken wiegen eine Tonne, ich kriege einfach die

Falten nicht aus den Laken, und wie man die blöden Ecken umschlägt weiß ich auch nicht. Wie machen das Zimmermädchen? Wie machen die das bloß?

10:30
Endlich. Eine Stunde Plackerei und ich habe gerade einmal ein Bett gemacht. Gott, ich bin so was von im Hintertreffen. Aber egal. Weiter. Jetzt die Wäsche.

10:36
O lieber Gott, nein. Nein.

Ich kann kaum hinsehen. Eine Katastrophe. Alles ist rosa, die ganze Ladung. Alles.

Wie konnte das bloß passieren?

Mit zitternden Fingern ziehe ich eine Kaschmirstrickjacke heraus. Die war mal beige, als ich sie in die Waschmaschine getan habe. Jetzt sieht sie aus wie rosa Zuckerwatte. Ich wusste doch, dass K3 übel ist. Ich *wusste* es –

Ganz ruhig bleiben. Es muss eine Lösung geben. Es muss einfach. Hektisch gucke ich mir die Flaschen und Dosen und Sprays an, die auf den Regalen stehen. Fleckweg ... Fleckenlöser. Es muss was geben. Ich muss nur überlegen ...

10:42
Okay, ich habe die Lösung. Wird vielleicht nicht ganz funktionieren, aber was Besseres fällt mir nicht ein.

11:00
Habe gerade 852 Pfund ausgegeben, um die ganze rosa Wäsche zu ersetzen. Harrods persönlicher Shoppingservice war äußerst hilfsbereit. Morgen kriege ich alles per Eilpost. Bleibt nur zu hoffen, dass Trish und Eddie nicht

merken, wie sich ihre Sachen auf wundersame Weise erneuert haben.

Jetzt muss ich nur zusehen, wie ich die rosa Sachen loswerde. Und meine Liste abarbeiten.

11:06
Und ... oh. Die Bügelwäsche. Was soll ich damit machen?

11:12
Alles klar. Habe in die Lokalzeitung geschaut und ein Mädchen im Dorf ausfindig gemacht, das mir die Hemden bis morgen für drei Pfund pro Stück bügelt und auch Eddies Knopf annäht.

Bis jetzt hat mich dieser Tag schlappe tausend Pfund gekostet. Und es ist noch nicht mal Mittag.

11:42
Läuft prima. Echt prima. Ich habe den Staubsauger an und flitze nur so über den Teppich –

Himmel. Was hat da so gekracht? Habe ich was eingesaugt? Warum knirscht es jetzt so im Staubsauger?

Habe ich ihn etwa *kaputt*gemacht?

11:48
Wie viel kostet eigentlich so ein Staubsauger?

12:24
Gott, meine Beine! Seit Stunden, wie mir scheint, knie ich auf irgendwelchen gekachelten Oberflächen herum und versuche das Bad sauber zu kriegen. Ich habe kleine Rillen in den Knien, von den Abdrücken der Fliesen. Mir ist furchtbar heiß, und ich ersticke fast in den Dämpfen von den Putzmitteln. Alles, was ich mir wünsche, ist eine Pau-

se. Aber das geht nicht. Ich bin *so* was von hinterher. Keine Sekunde Zeit. Weiter …

12:30

Was ist bloß mit dieser blöden Bleiche? Warum sprüht die nicht? In welche Richtung zeigt eigentlich die Düse? Verwirrt drehe ich die Flasche um und sehe mir die Pfeile auf dem Plastik genauer an … wieso kommt nichts raus? Okay, wenn ich jetzt mal ganz, ganz fest draufdrücke – Scheiße. Das wäre um ein Haar ins Auge gegangen.

12:32

SCHEISSE! Was habe ich mit meinen Haaren gemacht?

Es ist jetzt drei Uhr nachmittags, und ich bin fix und fertig. Fix und fertig. Und habe gerade mal die Hälfte meiner Liste geschafft. Wie soll ich das je hinkriegen? Ich weiß nicht, wie die Leute das machen. Wie halten die ihre Häuser bloß sauber? Es ist die größte Plackerei, die mir je untergekommen ist.

Ich flattere nicht heiter von einer Arbeit zur nächsten – wie Mary Poppins. Ich hetze von einem halb fertigen Job zum nächsten – wie ein kopfloses Huhn. Im Moment stehe ich auf einem Stuhl und versuche den Wohnzimmerspiegel sauber zu kriegen. Der reinste Alptraum. Je mehr ich schrubbe, desto schmieriger wird er.

Dazwischen erhasche ich immer wieder einen Blick auf mein Spiegelbild. Noch nie habe ich derart fertig ausgesehen. Meine Haare stehen wild in alle Richtungen ab. Vorne habe ich eine groteske, grün-blonde Strähne von dem Unfall mit der Bleicheflasche. Mein Gesicht ist krebsrot und glänzend, meine Hände rosa und rissig vom Schrubben, meine Augen gerötet.

Warum wird das nicht sauber? Warum?

166

»Jetzt werde schon sauber!« Ich schluchze fast vor Wut. »Werde schon sauber, du beschissener … beschissener …«

»Samantha.«

Ich erstarre. Nathaniel steht in der Tür und schaut auf den schmierigen Spiegel. »Hast du's mal mit Essig versucht?«

»*Essig?*« Misstrauisch starre ich ihn an.

»Damit kriegt man die Schmiere weg. Ist gut für Glasoberflächen.«

»Ach. Na gut.« Ich lege den Lappen weg, um Haltung bemüht. »Das wusste ich auch.«

Nathaniel schüttelt den Kopf. »Nein, wusstest du nicht.«

Ich schaue in sein strenges Gesicht. Es hat keinen Zweck, ihm länger was vorzumachen. Er weiß, dass ich noch nie im Leben eine Wohnung geputzt habe.

»Du hast Recht«, gestehe ich schließlich. »Ich wusste es nicht.«

Zittrig vor Müdigkeit steige ich vom Stuhl. Mir wird auf einmal ganz schwindlig, und ich muss mich kurz am Kaminsims festhalten.

»Du solltest mal Pause machen«, sagt Nathaniel streng. »Du schuftest schon seit Stunden, ich hab dich gesehen. Hast du überhaupt was zu Mittag gegessen?«

»Keine Zeit.«

Ich lasse mich auf den Stuhl sinken. Auf einmal bin ich so erschöpft, dass ich mich nicht mehr rühren kann. Jeder Muskel in meinem Körper brennt, sogar an Stellen, wo ich nie Muskeln vermutet hätte. Ich fühle mich, als hätte ich einen Marathon hinter mir. Oder den Ärmelkanal durchschwommen. Und dabei gehören noch die Holzmöbel poliert und die Matten ausgeklopft.

»Es … ist schwerer, als ich dachte«, gebe ich schließlich zu. »Viel schwerer.«

»Mhm.« Er nickt, mustert mich genauer. »Was hast du mit deinen Haaren gemacht?«

»Bleiche«, sage ich kurz angebunden. »Beim Kloputzen.«

Er lacht schnaubend, aber ich bin zu müde, um den Kopf zu heben. Um ehrlich zu sein, mir ist alles egal.

»Hart arbeiten kannst du ja«, meint er. »Das muss man dir lassen. Und mit der Zeit bekommst du Routine –«

»Ich kann das nicht.« Die Worte sind heraus, bevor ich es verhindern kann. »Ich hab keinen blassen Schimmer, was ich hier tun soll. Ich bin … eine totale Niete.«

»Klar kriegst du das hin.« Er kramt in seinem Rucksack und holt eine Dose Cola heraus. »Hier, trink das. Ohne Treibstoff kann kein Mensch arbeiten.«

»Danke.« Ich nehme ihm die Cola dankbar ab und öffne sie. Der erste Schluck ist das Köstlichste, was mir je durch die ausgedörrte Kehle geronnen ist. Rasch nehme ich noch einen. Und noch einen.

»Das Angebot steht noch«, sagt er nach einer kurzen Pause. »Meine Mutter würde dir helfen, wenn du willst.«

»Echt?« Ich wische mir den Mund ab, streiche die verschwitzten Haare aus dem Gesicht und schaue zu ihm hoch. »Das … das würde sie?«

»Meine Mum liebt Herausforderungen.« Nathaniel schmunzelt. »Sie wird dir zeigen, wie man sich in einer Küche zurechtfindet. Und auch alles andere, was du brauchst.« Er wirft einen neugierigen Blick auf den verschmierten Spiegel.

Das ist so demütigend. Ich lasse den Kopf hängen. Ich will keine Niete sein. Ich will keine Nachhilfestunden bekommen. Das passt nicht zu mir. Das bin ich nicht. Ich will das alles alleine schaffen, ohne fremde Hilfe.

Aber ich muss der Wahrheit ins Auge sehen: Ohne fremde Hilfe schaffe ich es einfach nicht.

Und ganz abgesehen von allem anderen – wenn ich so weitermache, wie heute, bin ich in zwei Wochen pleite.

Ich schaue wieder zu Nathaniel hoch.

»Das wäre wirklich nett«, sage ich demütig. »Ich wäre ihr echt dankbar.«

12

Samstagmorgen springe ich hektisch aus dem Bett, in Gedanken schon bei allem, was es zu tun gibt.

Doch dann erstarre ich, kann mich eine Sekunde lang nicht rühren. Mit einem ganz komischen Gefühl sinke ich ins Bett zurück.

Ich habe gar nichts zu tun.

Keine Verträge durchzusehen, keine E-Mails zu beantworten, keine kurzfristig angesetzten Meetings in der Kanzlei. Nichts.

Stirnrunzelnd überlege ich, wann ich das letzte Mal überhaupt nichts zu tun hatte. Ich weiß nicht mehr. Eigentlich nie, das heißt, eigentlich hatte ich immer was zu tun, so ungefähr seit meinem siebten Lebensjahr, wie mir scheint. Ich stehe auf, trete ans Fenster und starre auf den frühmorgendlichen Garten hinaus, über dem sich ein zartblauer Himmel wölbt. Ich kann es kaum fassen. Mein freier Tag. Niemand kann mir sagen, was ich zu tun habe. Niemand kann mich anrufen und verlangen, dass ich komme. Dies ist *mein* Tag, meine freie Zeit. *Meine freie Zeit*.

Während ich so am Fenster stehe und diesen Gedanken einsinken lasse, keimt ein ganz komisches Gefühl in mir auf. Ein leichtes, prickelndes Gefühl, wie ein mit Helium gefüllter Luftballon. Ich bin frei. Ich sehe mein Gesicht in der Fensterscheibe: Ein Strahlen breitet sich darauf aus. Zum ersten Mal in meinem Leben kann ich tun und lassen, was ich will.

Ich werfe einen Blick auf die Uhr – erst Viertel nach sieben! Der ganze Tag erstreckt sich vor mir wie ein unbeschriebenes Blatt. Was tun? Wo beginnen? Noch so eine Prickelblase blubbert in mir hoch, und ich muss an mich halten, um nicht laut aufzulachen.

Schon beginne ich, meinen Tag im Geiste zu planen. Aber nicht in Sechs-Minuten-Segmenten! Ich habe keine Eile. Ich werde ihn in *Stunden*abschnitte einteilen! Eine Stunde, um mich so richtig schön in der Badewanne zu aalen und mich hübsch anzuziehen. Eine Stunde für ein ausgiebiges Frühstück. Eine Stunde fürs Zeitungslesen, aber von ganz vorne bis ganz hinten! Ich werde mir den allerfaulsten Vormittag machen, den ich je in meinem Erwachsenenleben hatte.

Mit schmerzenden Muskeln hopple ich ins Bad. Manno, da sind Muskeln darunter, von deren Existenz ich erst jetzt erfahre. Man sollte den Hausputz wirklich als neuen Fitnesssport vermarkten, finde ich. Ich lasse mir ein schönes heißes Bad ein und schütte ein wenig von Trishs Badeöl dazu. Dann steige ich ins duftende Wasser und lehne mich genießerisch zurück.

Herrlich. Hier könnte ich stundenlang drinbleiben. Und das werde ich auch.

Ich schließe die Augen, das Wasser schwappt um meine Schultern, die Zeit rinnt träge dahin. Ich glaube, ich bin sogar für ein Weilchen weggenickt. So lange habe ich jedenfalls noch nie in der Badewanne gelegen.

Schließlich öffne ich doch die Augen, greife nach dem Handtuch und steige raus. Während ich mich abtrockne, werfe ich, nur so aus Neugier, einen Blick auf meine Armbanduhr.

Halb acht.

Was?

Ich war nur fünfzehn Minuten drin?

Verblüffend. Das können doch unmöglich nur fünfzehn Minuten gewesen sein. Tropfend stehe ich einen Moment lang da, unentschlossen, ob ich vielleicht doch wieder reinsteigen und noch mal von vorne anfangen soll.

Nee. Nee, das wäre zu schrill. Ist auch egal. Dann habe ich

halt ein bisschen zu schnell gemacht. Dafür nehme ich mir fürs Frühstück umso mehr Zeit. Genieße es so richtig.

Wenigstens habe ich jetzt was zum Anziehen. Trish hat gestern Nachmittag mit mir noch einen kleinen Shopping-Ausflug gemacht, damit ich mir ein bisschen Unterwäsche, ein paar Sommerkleider, so was, besorgen konnte. Sie meinte, sie würde die Sache mir überlassen, doch dann hat sie doch angefangen, mich rumzukommandieren und alles für mich auszusuchen … und ich weiß nicht, wie es passiert ist, aber am Ende war überhaupt nichts Schwarzes dabei.

Zögernd suche ich mir ein rosa Schlauchkleid heraus, dazu Sandalen. Ich begutachte mich im Spiegel. Das ist das erste Mal in meinem Leben, dass ich was in pink anhabe, und ich muss zugeben, ich sehe gar nicht so übel aus! Abgesehen von dieser verflixten grün-weißen Strähne über meiner Stirn. Da muss ich irgendwas gegen machen.

Im Schlafzimmer der Geigers ist es noch ganz still, als ich durch den Flur gehe. Leise schleiche ich an der Tür vorbei. Irgendwie ist mir nicht ganz wohl dabei, das Wochenende in ihrem Haus zu verbringen, ohne irgendwas zu tun. Besser, wenn ich später ausgehe, aus dem Weg bin, sozusagen.

Die Küche ist so still und chromglänzend wie immer, doch mittlerweile nicht mehr ganz so furchteinflößend. Zumindest kenne ich mich jetzt mit dem Wasserkocher und dem Toaster aus. Und ich habe in der Speisekammer ein ganzes Regal voll Marmelade gefunden. Ich werde mir also Toast zum Frühstück machen. Dazu Orangen- und Ingwermarmelade und eine schöne Tasse Kaffee. Und ich werde die Zeitung von vorne bis hinten durchlesen. Bis dahin ist es sicher mindestens elf, und dann kann ich mir ja immer noch überlegen, was ich tun will.

Ich entdecke eine *Times* auf der Türmatte und nehme sie mit in die Küche. In diesem Moment hüpft mein Toast aus dem Toaster.

171

Hach, das nenne ich Leben.

Ich setze mich ans Fenster, beiße in meinen knusprigen Toast, nippe an meinem Kaffee und blättere gemütlich in der Zeitung. Dann, nachdem ich drei Scheiben Toast hinunterge-schlungen, sämtliche Samstagsbeilagen durchgelesen und zwei Tassen Kaffee intus habe, recke und strecke ich mich und gäh-ne ausgiebig. Dann werfe ich einen beiläufigen Blick auf die Uhr.

Nicht zu fassen. Erst sieben Uhr sechsundfünfzig.

Was ist bloß los mit mir? Das sollte doch *Stunden* dauern. Ich wollte doch den ganzen Vormittag hier sitzen! Und nicht alles in zwanzig Minuten durchgehechelt haben.

Okay … egal. Bloß keinen Stress deswegen. Werde ich mich eben auf eine andere Art entspannen.

Ich räume mein Geschirr in die Spülmaschine und wische meine Toastkrümel weg. Dann setze ich mich wieder an den Tisch und lasse meinen Blick umherschweifen. Ich frage mich, was ich jetzt tun soll. Es ist noch zu früh, um wegzugehen.

Plötzlich fällt mir auf, dass ich mit den Fingernägeln auf den Tisch trommle. Ich zwinge mich, damit aufzuhören, und schaue meine Hand einen Moment lang streng an. Das ist doch lächerlich. Ich habe, zum ersten Mal seit zehn Jahren, einen ganzen Tag frei. Ich sollte mich *entspannen*. Na los, Mädel, lass dir was einfallen.

Was tut man überhaupt an einem freien Tag? Was tun ande-re? Ich überlege, was ich diesbezüglich im Fernsehen gesehen habe. Ich könnte mir noch einen Kaffee machen. Aber ich hat-te schon zwei Tassen. Und irgendwie ist mir nicht nach einer dritten. Oder die Zeitung noch mal lesen? Aber ich habe ein geradezu fotografisches Gedächtnis. Etwas noch mal zu lesen ist irgendwie hirnrissig.

Ich schaue hinaus in den Garten, wo ein Eichhörnchen auf einer Steinsäule sitzt und sich mit blanken Augen umsieht.

Vielleicht sollte ich rausgehen. Ein bisschen den Garten genießen, den frischen Morgen, das taufeuchte Gras. Gute Idee.

Das Problem mit taufeuchtem Gras ist, dass es taufeucht ist. Während ich wie ein Reiher über den Rasen stakse, wünschte ich bereits, nicht ausgerechnet offene Sandalen angezogen zu haben. Oder mit dem Morgenspaziergang noch ein bisschen gewartet zu haben.

Der Garten ist viel größer, als ich gedacht hatte. Ich schreite über den weitläufigen Rasen und nähere mich einer niedrigen Hecke, die die Grenze zu bilden scheint – und stelle fest, dass es dahinter noch weitergeht, da ist eine Wiese voller Obstbäume und zu meiner Linken eine Art ummauertes Gärtchen.

Dieses Gärtchen ist atemberaubend. Sogar ich kann das sehen. Blumen in leuchtenden Farben, jedes Mäuerchen mit einer hübschen Kletterpflanze oder Ranke überwachsen. Als ich mich der Wiese nähere, sehe ich, dass an manchen der Bäume kleine goldene Birnen hängen. Ich muss zugeben, dass ich so etwas zum ersten Mal sehe.

Ich wandere durch den Obsthain zu einer Art Acker, einem großen Beet aus brauner Erde, in dem, in ordentlichen Reihen, irgendwelche Pflanzen wachsen. Das muss das Gemüse sein. Misstrauisch tippe ich eine der Pflanzen mit der Fußspitze an. Könnte Kohl sein. Oder auch Salat. Oder vielleicht sind's die Blätter von etwas, das unter der Erde wächst.

Um ehrlich zu sein, es könnte ein Alien sein. Ich habe keinen blassen Schimmer.

Ich wandere noch ein Weilchen herum und lasse mich dann auf einem bemoosten Bänkchen nieder. Mein Blick fällt auf einen nahe gelegenen Busch, an dem kleine weiße Blümchen blühen. Hm. Hübsch.

Und jetzt? Was *macht* man jetzt hier?

Ich habe das Gefühl, ich sollte etwas zum Lesen haben. Oder

jemanden anrufen. Es juckt mir förmlich in den Fingern. Ich werfe einen Blick auf meine Uhr. Erst acht Uhr sechzehn. Mein Gott.

Nein, so schnell werfe ich die Flinte nicht ins Korn. Jetzt wird erst mal hier sitzen geblieben. Und genossen. Ich lehne mich zurück, mache es mir auf dem Bänkchen bequem, beobachte müßig ein Vögelchen, das zu meinen Füßen herumpickt.

Ich werfe erneut einen Blick auf die Uhr. Acht Uhr siebzehn.

Es hat keinen Zweck, es geht einfach nicht.

Ich kann nicht einfach den ganzen Tag *nichts* tun. Das treibt mich in den Wahnsinn. Ich werde gehen und mir noch eine Zeitung im Dorf kaufen. Vielleicht haben sie ja *Krieg und Frieden*, das kaufe ich dann auch noch. Ich stehe auf und will gerade forschen Schritts über den Rasen zum Haus zurückgehen, als es plötzlich in meiner Tasche piepst. Ich erstarre.

Mein Handy. Jemand hat mir eine SMS geschickt. Am Samstag, in aller Herrgottsfrühe. Nervös hole ich mein Handy aus der Tasche und starre es an. Ich habe schon seit mehr als einem Tag keinen Kontakt mehr zur Außenwelt gehabt.

Ich weiß, dass ich einige SMS erhalten habe, aber ich habe keine davon gelesen. Auch auf meiner Mailbox ist was drauf – nichts davon habe ich abgehört. Ich will es gar nicht wissen. Ich verdränge das alles.

Unschlüssig spiele ich mit meinem Handy, sage mir, dass ich es besser gleich wieder wegstecke. Aber jetzt bin ich neugierig geworden. Jemand hat mir vor ein paar Sekunden eine Textmail geschickt. Jemand hat irgendwo ein Handy in der Hand gehalten und eine Nachricht an mich eingetippt. Ich sehe Guy vor mir, in sportlicher Hose und Polohemd. Wie er an seinem Schreibtisch sitzt und stirnrunzelnd eine Nachricht eingibt.

Sich entschuldigt.

Mich über den neuesten Stand der Dinge informiert. Ir-

gendeine neue Entwicklung, die gestern noch gar nicht abzu-
sehen gewesen war –

Ich kann nicht anders. Gegen meinen Willen keimt Hoffnung in mir auf. Ich fühle, während ich hier auf dem frühmorgendlichen Rasen stehe, wie mein mentales Ich aus diesem
Garten fort und nach London, in die Kanzlei, zurückgezerrt
wird. Ein ganzer Tag ist dort ohne mich vergangen. In vierundzwanzig Stunden kann eine Menge passieren. Die Dinge können sich ändern. Alles könnte sich irgendwie zum Guten ge-
wendet haben.

Oder … zum Schlechten. Noch schlechteren. Man will mich
verklagen. Wegen grober Fahrlässigkeit.

Ich kann die Anspannung nicht länger ertragen. Ich habe
mein Handy fest umklammert. Ich muss es wissen. Gut oder
schlecht. Ich klappe es auf und hole mir die Nachricht aufs Display. Sie stammt von einer Nummer, die ich nicht mal kenne.

Wer ist das? Wer um alles in der Welt schickt mir eine SMS?

Mit einem flauen Gefühl im Magen drücke ich auf die
Okay-Taste, um die Nachricht zu lesen.

hi samantha, nathaniel hier

Nathaniel?

Nathaniel?

Ich bin so erleichtert, dass ich laut auflache. Natürlich! Ich
habe ihm ja gestern meine Handynummer gegeben, für seine
Mutter. Ich lese weiter.

wenn du willst, kann mum dir heute was zeigen.

nat.

Kochunterricht. Das wäre toll! Genau das Richtige, um einen
freien Tag auszufüllen. Rasch schreibe ich zurück:

liebend gerne. sam.

Mit einem glücklichen Lächeln schicke ich die Nachricht ab. Das macht Spaß. Wenig später piept mein Handy erneut.

welche uhrzeit? ist dir elf zu früh? nat.

Ich werfe einen Blick auf meine Uhr. Elf, das wäre ja erst in zweieinhalb Stunden.

Zweieinhalb Stunden rumhängen, Zeitung lesen und Trish und Eddie aus dem Weg gehen. Das halte ich nicht aus. Ich drücke auf *Reply*.

wie wär's mit 10? sam.

Um fünf vor zehn stehe ich in der Eingangshalle bereit. Anscheinend ist das Haus von Nathaniels Mutter nicht so leicht zu finden, daher haben wir ausgemacht, dass er mich hier abholt und wir dann zu Fuß dorthin gehen. Ich blicke prüfend in den Garderobenspiegel und zucke unwillkürlich zusammen. Diese blöde Strähne. Ich versuche mein Haar nach hinten zu kämmen, dann nach vorne. Vergebens. Das Grün-blond lässt sich einfach nicht verstecken. Vielleicht könnte ich ja die Hand lässig an die Stirn halten, als würde ich nachdenken. Ich probiere ein paar Posen vor dem Spiegel.

»Ist mit deinem Kopf alles in Ordnung?«

Erschrocken fahre ich herum und sehe Nathaniel in der offenen Tür stehen, in Karohemd und Jeans.

»Äh … ja«, sage ich, die Hand immer noch am Kopf. »Ich wollte bloß …«

Ach, was soll's. Ich lasse die Hand sinken, und Nathaniel starrt die Strähne einen Moment lang an.

»Sieht nett aus«, sagt er schließlich. »Wie ein Dachs.«

»Ein *Dachs*?«, entgegne ich empört. »Ich sehe doch nicht wie ein Dachs aus.«

Rasch werfe ich noch einmal einen Blick in den Spiegel. Nein, bestimmt nicht.

»Dachse sind wunderschöne Tiere«, sagt Nathaniel mit einem Achselzucken. »Ich würde lieber wie ein Dachs aussehen als wie ein Hermelin.«

Moment mal. Seit wann hatte ich die Wahl zwischen Dachs und Hermelin? Ich weiß nicht mal, wie das Gespräch diese Richtung nehmen konnte.

»Ich denke, wir sollten besser gehen«, erkläre ich würdevoll. Ich nehme meine Handtasche und werfe beim Hinausgehen einen letzten Blick in den Spiegel.

Na gut, dann sehe ich eben ein bisschen wie ein Dachs aus.

Draußen wird es bereits warm, und ich schnuppere interessiert, während wir über die kiesbestreute Auffahrt zum Tor gehen. Da liegt so ein wundervoller, blumiger Duft in der Luft, der mir irgendwie bekannt vorkommt …

»Geißblatt und Jasmin!«, rufe ich aus. Ich habe zu Hause das Jo-Malone-Badeöl, das genau so riecht.

»Geißblatt wächst da an der Mauer.« Nat deutet auf einen Busch mit unzähligen kleinen blassgelben Blüten. »Hab es vor einem Jahr gepflanzt.«

Interessiert schaue ich mir den Busch an. So sieht also Geißblatt aus?

»Jasmin wächst hier allerdings nirgends«, sagt er neugierig. »Kannst du ihn denn riechen?«

»Äh …« Ich breite unschlüssig die Hände aus. »Wahrscheinlich nicht.«

Ich glaube, das Badeöl erwähne ich im Moment besser nicht. Als wir durchs Tor treten, wird mir klar, dass dies das erste Mal ist, dass ich das Grundstück verlasse – abgesehen von der Einkaufstour gestern mit Trish, doch da war ich zu sehr damit beschäftigt gewesen, ihre Celine-Dion-CD herauszukramen, und hatte kaum auf die Umgebung geachtet. Nathaniel spaziert ruhig die Straße entlang – während ich mit offenem Mund stehen bleibe. Atemberaubend. Dieses Dörfchen ist einfach atemberaubend.

Ich hatte ja keine Ahnung.

Mein Blick schweift über die honigfarbenen alten Steincottages mit ihren steilen Dächern; über das kleine Flüsschen, von schattigen Weiden gesäumt. Weiter vorne ist das Pub, das ich bei meiner Ankunft gesehen habe, mit den üppigen Blumenampeln. In der Ferne erklingt Hufgeklapper. Nichts stört. Alles ist so harmonisch hier.

»Samantha?«

Nathaniel hat endlich bemerkt, dass ich zurückgeblieben bin.

»Tut mir Leid.« Hastig eile ich ihm nach. »Es ist so wunderschön hier! Das wusste ich ja gar nicht!«

»Ja, ganz hübsch.« Ich höre einen Unterton von Stolz in seiner Stimme. »Leider zu viele Touristen, aber …« Er zuckt mit den Schultern.

»Ich hatte ja keine Ahnung!« Wir gehen weiter die Straße entlang, doch ich kann nicht aufhören, mich mit großen Augen umzuschauen. »Sieh dir diesen Fluss an! Und dieses kleine Kirchlein!«

Ich fühle mich wie ein Kind, das ein neues Spielzeug entdeckt hat. Eigentlich kenne ich England von dieser Seite so gut wie gar nicht. Wir waren immer in London oder gleich im Ausland. Ich war öfter in der Toskana, als ich zählen kann, und einmal sogar sechs Monate in New York, als Mum vorübergehend dorthin versetzt worden war. Aber in den Cotswolds war ich bisher noch nie.

Wir überqueren den Fluss auf einer alten, bogenförmigen

Steinbrücke. Ich bleibe am Scheitelpunkt stehen und schaue zu den Enten und Schwänen hinunter.

»Herrlich«, schwärme ich. »Einfach herrlich.«

»Hast du das denn nicht gesehen, als du hier ankamst?«, erkundigt sich Nathaniel amüsiert. »Oder bist du in einer Seifenblase gelandet?«

Ich muss an jene Fahrt denken, an meine Panik, meine dumpfe Lähmung. Wie ich mit hämmernden Kopfschmerzen aus dem Zug gestiegen bin, nichts richtig wahrgenommen habe.

»So in der Art«, antworte ich schließlich.

Wir beobachten gemeinsam ein Schwanenpärchen, das hoheitsvoll unter der kleinen Brücke hindurchgleitet. Dann werfe ich einen Blick auf meine Uhr. Schon fünf nach zehn.

»Wir müssen weiter«, sage ich erschrocken. »Deine Mutter wartet sicher schon auf uns.«

»Nur keine Eile«, ruft Nathaniel mir nach, als ich über die Brücke haste. »Wir haben den ganzen Tag Zeit.« Lässig läuft er die Brücke hinunter und hat mich mit wenigen Schritten eingeholt. »Warte. Du brauchst dich nicht hetzen.«

Er geht weiter, und ich versuche mich seiner gemütlichen Gangart anzupassen. Aber es ist so ungewohnt. Ich bin es gewöhnt, durch die Stadt zu hetzen, mir mit ausgefahrenen Ellbogen den Weg durchs Menschengewimmel zu erkämpfen.

»Und – bist du hier aufgewachsen?«, frage ich, angestrengt dahinschlendernd.

»Jep.« Er biegt in eine kleine Kopfsteingasse zur Linken ein. »Ich kam wieder zurück, als mein Dad krank wurde. Als er starb, musste ich mich um alles kümmern. Auch um Mum. Es war ganz schön hart für sie. Und die Finanzen ... es war ein ganz schönes Durcheinander.«

»Tut mir Leid«, sage ich verlegen. »Und hast du noch Geschwister?«

»Einen Bruder. Jake. Ist für eine Woche gekommen.« Nathaniel zögert. »Er hat seine eigene Firma. Ist sehr erfolgreich.«

Sein Ton ist entspannt wie immer, doch da ist etwas Unterschwelliges, das mir rät, lieber nicht weiter nachzufragen.

»Tja, ich würde eigentlich *gern* hier leben«, verkünde ich fröhlich.

Nathaniel wirft mir einen seltsamen Blick zu. »Du *lebst* doch hier.«

Stimmt. Ich lebe hier. Theoretisch.

Ich gehe weiter und lasse dabei diesen Gedanken einsinken. Ich habe bis jetzt noch nie irgendwo anders gewohnt, immer nur in London. Das heißt, abgesehen von den drei Jahren Cambridge. Aber ich hatte immer eine Londoner Postleitzahl. Eine Londoner Vorwahl. Das bin ich. Das ... war ich.

Doch schon jetzt ist mein altes Ich ein wenig in die Ferne gerückt. Wenn ich zurückdenke, nur an die letzte Woche, kommt es mir vor, als würde ich mich durch Pauspapier sehen.

Ich habe alles, was mir einmal wichtig war, verloren. Und darunter leide ich noch immer. Aber gleichzeitig ... gleichzeitig fühle ich mich lebendiger, zuversichtlicher und freier als je zuvor. Die Welt ist wieder voller Möglichkeiten. Ich atme tief ein und auf einmal überkommt mich ein inniges Glücksgefühl, ja Euphorie. Impulsiv bleibe ich vor einem mächtigen Baumriesen stehen und blicke in die dicht belaubte grüne Krone hinauf.

»Es gibt da ein wundervolles Gedicht von Walt Whitman über eine Eiche.« Ich hebe die Hand und streiche liebevoll über die kühle, raue Rinde. »*I saw in Louisiana a live-oak growing. All alone stood it and the moss hung down from the branches.*«

Ich werfe Nathaniel einen Blick zu, um zu sehen, ob ich ihn vielleicht zufällig ein klein wenig beeindruckt habe.

»Das ist eine Buche«, sagt er und weist mit einem Kopfnicken auf den Baum.

Ach. Na ja.

Also ich kenne kein Gedicht über Buchen.

»Da wären wir.« Nathaniel stößt ein altes schmiedeeisernes Gatter auf und winkt mich hinein. Ein schmaler Steinpfad führt auf ein malerisches kleines Cottage mit blaugeblümten Vorhängen zu. »Wird Zeit, dass du deine Kochlehrerin kennen lernst.«

Nathaniels Mutter ist ganz anders, als ich sie mir vorgestellt hatte. Ich hatte an so eine Mischung aus Großmütterchen und Guter Fee gedacht, füllig, mit grauen Haaren und Haarknoten, eine Lesebrille auf der Nase. Stattdessen steht eine drahtige, schlanke Frau mit einem lebhaften, hübschen Gesicht vor mir. Sie hat leuchtend blaue Augen, mit einem Ansatz haarfeiner Lachfältchen. Graue Strähnen durchziehen ihr Haar, das zu zwei Zöpfen geflochten ist. Sie hat eine Schürze an, darunter Jeans und T-Shirt und Espandrillos. Offenbar ist sie gerade dabei, eine Art Teig zu kneten.

»Mum.« Nathaniel gibt mir grinsend einen kleinen Schubs. »Das ist sie. Das ist Samantha. Samantha … meine Mutter. Iris.«

»Samantha. Schön, dich kennen zu lernen.« Iris blickt von ihrem Teig auf und mustert mich von Kopf bis Fuß, ohne mit dem Kneten aufzuhören. »Ich mache das hier nur schnell fertig.«

Nathaniel bedeutet mir, mich zu setzen, und ich lasse mich schüchtern auf einem Küchenstuhl nieder. Die Küche liegt auf der Rückseite des Hauses, ein sonniger und heimeliger Raum. Auf den Fenstersimsen stehen Blumentöpfe. Es gibt einen altmodischen Herd, einen blankgeschrubbten Tisch und eine Gartentür, die offen steht. Als ich mich gerade frage, ob ich etwas sagen soll, wandert ein Huhn herein und fängt an, am Boden zu scharren.

»Ach, ein Huhn!«, rutscht es mir heraus, bevor ich mich davon abhalten kann.

»Ja, ein Huhn.« Iris sieht mich amüsiert an. »Hast du noch nie ein Huhn gesehen?«

Nur im Kühlregal vom Supermarkt. Das Huhn nähert sich pickend meinen offenen Sandalen, und ich schiebe die Füße rasch unter den Stuhl, als hätte ich das sowieso vorgehabt.

»So.« Iris nimmt den Teig und klopft ihn geschickt zu einem länglichen Brotlaib, den sie auf ein Blech legt. Dann macht sie die schwere Backofentür auf und schiebt das Blech hinein. Sie hält ihre mehlbestäubten Hände unter den Wasserhahn und dreht sich dann zu mir um.

»So, so, du willst also kochen lernen«, sagt sie in freundlichem, aber sachlichen Ton. Ich habe das Gefühl, dass diese Frau nicht gerne überflüssige Worte macht.

»Ja.« Ich lächle schüchtern. »Wenn's geht.«

»Cordon bleu und so 'n schickes Zeugs«, fügt Nathaniel hinzu, der am Herd lehnt.

»Und was hast du schon so gekocht? Ich meine, wie viel Erfahrung hast du?« Iris trocknet sich die Hände an einem rotkarierten Geschirrtuch ab. »Nathaniel sagt, überhaupt keine. Aber das kann sicher nicht stimmen.« Sie legt das Geschirrtuch zusammen und lächelt mir zum ersten Mal zu. »Was kannst du? Was sind so deine Basics?«

Unter dem Blick ihrer leuchtend blauen Augen werde ich ein wenig nervös. Ich zermartere mir das Hirn. Was kann ich? Was kann ich?

»Tja ... also, da wäre ... äh ... Toast. Ich kann Toast machen.«

»*Toast?*«, wiederholt sie entsetzt. »Bloß Toast?«

»Na ja, und Waffeln, Brötchen und so. Was so in den Toaster reingeht ...«

»Ja, aber was kannst du *kochen*?« Sie hängt das Tuch über die Metallstange des Herds und schaut mich forschend an. »Was

182

ist mit … einem Omelett? Du kannst doch sicher ein Omelett machen?«

Schluck.

»Eigentlich nicht, nein.«

Iris' Miene ist derart ungläubig, dass ich einen ganz roten Kopf kriege. »Ich hatte in der Schule nie Hauswirtschaft oder so was«, verteidige ich mich. »Ich hab's nie gelernt.«

»Aber deine Mutter hat doch sicher … oder deine Großmutter …« Sie bricht ab, als ich den Kopf schüttle. »*Irgendjemand?*«

Ich beiße mir auf die Lippe. Als Iris der Ernst der Lage klar wird, stößt sie geräuschvoll den Atem aus.

»Dann kannst du also überhaupt nichts kochen. Und was hast du den Geigers versprochen, das du für sie kochst?«

O Gott.

»Trish wollte einen Speiseplan. Für eine Woche. Also … äh … habe ich was davon hier abgekupfert.« Beschämt krame ich die mittlerweile recht mitgenommene Maxim's-Speisekarte aus meiner Handtasche und reiche sie ihr.

»Geschmortes Lamm im Ziegenkäsemantel, auf einem Bett von glasierten Schalotten, an Schmelzkartoffeln, dazu Kardamom-Blattspinatpüree«, liest sie fassungslos vor.

Ich höre ein Schnauben und sehe, dass Nathaniel sich vor Lachen kaum halten kann.

»Das war alles, was ich hatte!«, wehre ich mich. »Was sollte ich denn sagen? Fischstäbchen mit Pommes?«

»Das ist im Grunde nichts anderes als ein aufgemotzter *Shepherd's Pie.*« Iris studiert noch immer die Karte. »Das kann ich dir beibringen. Und die geschmorte Forelle mit Mandeln ist einfach genug …« Sie fährt mit dem Finger über die Zeilen und blickt schließlich mit einem leichten Stirnrunzeln auf. »Ich kann dir alles, was da draufsteht, beibringen, Samantha, aber das wird nicht leicht. Wenn du wirklich noch nie was gekocht hast.« Sie wirft Nathaniel einen Blick zu. »Ich weiß nicht, ob …«

Ein Schrecken durchzuckt mich, als ich ihre Miene sehe. Bitte, jetzt bloß keinen Rückzieher machen.

»Ich bin eigentlich nicht schwer von Kapee.« Ich beuge mich vor. »Und ich kann hart arbeiten. Ich tue alles. Bitte, ich möchte das so gerne lernen …«

Ich blicke sie flehentlich an. *Bitte. Ich will das schaffen.*

»Also gut«, sagt Iris schließlich. »Dann wollen wir uns mal an die Arbeit machen.«

Sie holt eine Waage aus einem Schränkchen, und ich nutze die Gelegenheit, um Block und Bleistift aus meiner Handtasche hervorzukramen. Als Iris sich umdreht, sieht sie mich verwundert an.

»Wozu soll das gut sein?« Sie deutet mit einer Kopfbewegung auf meinen Block.

»Damit ich mir Notizen machen kann«, erkläre ich. Ich schreibe das Datum an den oberen rechten Blattrand und darunter die Überschrift: »Erste Kochstunde«. Nachdem ich das unterstrichen habe, blicke ich eifrig auf. Iris schüttelt langsam den Kopf.

»Samantha, du brauchst dir keine Notizen zu machen. Beim Kochen geht's nicht ums Auswendiglernen. Es geht ums Schmecken. Fühlen. Tasten. Riechen.«

»Ach so, ja.« Ich nicke eifrig.

Das muss ich mir merken. Rasch ziehe ich die Kappe von meinem Stift ab und kritzle: »Kochen = Schmecken, Riechen, Fühlen, etc.« Ich mache den Stift wieder zu und blicke auf. Iris schaut mich ungläubig an.

»Schmecken«, sagt sie und nimmt mir Papier und Stift aus der Hand. »Nicht Aufschreiben. Du musst das mit deinen Sinnen erfassen. Ganz instinktiv«

Sie nimmt den Deckel von einem Topf, der leise auf dem Herd vor sich hin köchelt und taucht einen Löffel hinein. »Hier. Probier das mal.«

Linkisch nehme ich den Löffel in den Mund.

»Bratensoße«, sage ich sofort. »Lecker!«, füge ich höflich hinzu.

Iris schüttelt den Kopf. »Du sollst mir nicht sagen, was es ist. Sag mir, was du schmeckst.«

Verwirrt starre ich sie an. Das muss eine Trickfrage sein.

»Ich schmecke … Bratensoße.«

Sie verzieht keine Miene. Sie wartet.

»Äh … Fleisch?«, sage ich versuchsweise.

»Was noch?«

Mein Hirn ist wie leer gefegt. Mir fällt nichts weiter ein. Ich meine, das ist Bratensoße. Was kann man schon über Bratensoße sagen?

»Probier's noch mal.« Iris ist unnachgiebig. »Streng dich an.«

Ich ringe nach Worten. Meine Birne muss inzwischen wie eine rote Ampel leuchten. Ich fühle mich wie der Trottel von der letzten Bank, der nicht mal das Zweier- Einmaleins zustande bringt.

»Fleisch … Wasser …« Ich überlege fieberhaft, was sonst noch in Bratensoße drin sein könnte. »Mehl!«, stoße ich in plötzlicher Eingebung hervor.

»Samantha, du sollst nicht versuchen, die Zutaten zu erraten. Sag mir einfach, wonach es schmeckt.« Iris hält mir den Löffel ein drittes Mal hin. »Probier noch mal – und mach diesmal die Augen zu.«

Die Augen zumachen?

»Okay.« Ich nehme einen Mund voll und schließe gehorsam die Augen.

»Also. Was schmeckst du?«, dringt Iris' Stimme an mein Ohr. »Konzentriere dich ganz auf den Geschmack. Auf nichts sonst.«

Ich habe die Augen fest zusammengekniffen und versuche, alles andere um mich herum zu vergessen, mich nur auf meinen

Mund zu konzentrieren. Da ist etwas Warmes, Salziges auf meiner Zunge. *Salz.* Das ist schon mal was. Und etwas Süßes … und … da ist noch was, ich merke es beim Runterschlucken.

Fast kommt es mir vor, als würde ich plötzlich Farben sehen. Zuerst die grellen, offensichtlichen, dann die sanfteren, die, die man leicht übersieht …

»Es schmeckt salzig und fleischig …«, sage ich langsam, ohne die Augen aufzumachen. »Und süß … und …. beinahe fruchtig? Irgendwie kirschig?«

Leicht desorientiert schlage ich die Augen wieder auf. Iris mustert mich aufmerksam. Plötzlich sehe ich, dass Nathaniel auch noch in der Küche steht. Verlegenheit überkommt mich. Bratensoße mit geschlossenen Augen zu probieren, ist etwas ganz schön Intimes, wie ich merke. Ich bin nicht sicher, ob ich dabei beobachtet werden möchte.

Iris scheint zu verstehen.

»Nathaniel«, sagt sie forsch, »wir brauchen alles Mögliche für diese Gerichte.« Sie schreibt eine lange Einkaufsliste und reicht sie ihm. »Bitte sei so gut und besorg uns das, mein Schatz.«

Als er gegangen ist, blickt sie mich mit einem leisen Lächeln an. »Das war schon viel besser.«

»Der Groschen ist gefallen?«, sage ich hoffnungsvoll, und Iris wirft den Kopf in den Nacken und lacht herzlich.

»Nein, Schätzchen, noch lange nicht. Hier, binde dir eine Schürze um.« Sie reicht mir eine rot-weiß-gestreifte Schürze, und ich binde sie mir verlegen um.

»Es ist unheimlich nett von dir, dass du mir helfen willst«, sage ich zögernd, während sie Zwiebeln rausholt und irgendein orangefarbenes Gemüse, das ich nicht kenne. »Ich bin dir wirklich dankbar.«

»Ich mag ein wenig Abwechslung.« Ihre Augen funkeln mich lebhaft an. »Mir ist langweilig. Nathaniel macht alles für mich. Zu viel, manchmal.«

»Aber trotzdem. Du kennst mich ja gar nicht und –«

»Was Nathaniel über dich erzählt hat, hat mir gefallen.« Iris nimmt ein schweres hölzernes Hackbrett von der Wand. »Wie du die Sache mit dem verhunzten Menü hingebogen hast. Dazu gehörte schon ganz schön viel Mut.«

»Irgendwas musste ich tun.« Ich grinse reuig.

»Mit dem Ergebnis, dass sie dir eine Gehaltserhöhung angeboten haben. Köstlich.« Sie lächelt amüsiert. »Trish Geiger ist eine alberne Person.«

»Ich mag Trish«, verteidige ich sie.

»Ich mag sie ja auch«, pflichtet Iris mir bei. »Sie meint es gut mit Nathaniel. Aber dir muss inzwischen aufgefallen sein, dass ihr Hirn Erbsengröße hat.« Sie sagt das so sachlich, dass ich nur mit Mühe ein Kichern unterdrücken kann. Sie setzt einen riesigen, glänzenden Topf auf den Herd, dreht sich dann zu mir um und verschränkt die Arme. »Du hast sie also nach Strich und Faden an der Nase herumgeführt.«

»Jawoll.« Ich grinse. »Sie haben keine Ahnung, wer ich bin.«

»Und wer bist du?«

Ihre Frage trifft mich vollkommen unvorbereitet. Ich mache den Mund auf, doch nichts kommt heraus.

»Heißt du wirklich Samantha?«

»Ja!«, antworte ich entsetzt.

»Das war ein bisschen sehr direkt, verzeih.« Iris hebt beschwichtigend die Hand. »Aber wenn jemand so aus dem Nichts hier auf dem platten Lande auftaucht und eine Stelle annimmt, von der er, beziehungsweise sie, keine Ahnung hat …« Sie hält inne, wie um sich die folgenden Worte gut zu überlegen. »Nathaniel sagt, du hättest eine schlimme Beziehung hinter dir?«

»Ja«, murmle ich und lasse dabei den Kopf hängen. Ich kann Iris' bohrende, kluge Blicke förmlich fühlen.

»Du willst nicht drüber reden, stimmt's?«

»Nein, eigentlich nicht. Nein.«

Ich blicke auf und glaube so etwas wie Verständnis in ihren Augen lesen zu können.

»Na gut, wie du willst.« Sie nimmt ein Messer zur Hand. »Und jetzt lass uns loslegen. Ärmel aufkrempeln, Haare zurückbinden, Hände waschen! Ich werde dir jetzt beibringen, wie man eine Zwiebel schneidet.«

Wir verbringen das ganze Wochenende am Herd.

Ich lerne, wie man eine Zwiebel in feine Scheiben schneidet, herumdreht und dann fein würfelt. Ich lerne, Kräuter mit einem Wiegemesser zu hacken. Ich lerne, wie man Fleischwürfel mit etwas Mehl und gehacktem Ingwer vermischt, wartet, bis das Öl die richtige Temperatur hat (Zahnstochertest: das Ende ins Öl halten – wenn es sprudelt, ist es richtig!) und das Fleisch dann in einer gusseisernen Pfanne brät. Ich lerne, dass man Pastetenteig am besten rasch und mit kalten Händen und am offenen Fenster macht. Ich lerne, wie man Brechbohnen vor dem Sautieren kurz in heißem Wasser blanchiert – mit einem Schuss Essig, damit sie ihre Farbe behalten.

Vor einer Woche wusste ich noch nicht mal, was »sautieren« überhaupt ist. Geschweige denn »blanchieren«.

Zwischendurch sitze ich mit Iris auf den Küchenstufen und sehe den Hühnern beim Scharren zu. Dabei trinken wir frisch gebrühten Kaffee, essen Kürbismuffins oder ein Sandwich aus zwei Scheiben ofenwarmem Brot mit salzigem, krümeligem Käse und ein, zwei Salatblättern belegt.

»Essen heißt genießen«, sagt Iris, wenn sie mir meinen Anteil reicht. Und jedes Mal schüttelt sie den Kopf, wenn sie sieht, wie ich schlinge. »Nicht so schnell. Lass dir Zeit! Du musst *schmecken*, was du isst!«

Am Sonntagnachmittag mache ich unter Iris' gelassener Aufsicht Brathühnchen mit einer Füllung aus Salbei und

Zwiebeln, dazu gedünsteten Broccoli, Möhrchen mit Kreuz-
kümmel und Ofenkartoffeln. Als ich den schweren Geflügel-
bräter aus dem Backrohr nehme, halte ich einen Moment inne
und atme den herrlichen Brathähnchenduft ein. Es ist so ein
gemütlicher Duft, so heimelig. Das Heimeligste, was ich je ge-
rochen habe. Das Hähnchen ist goldbraun und knusprig. Auf
der Haut sind die frisch gemahlenen Pfefferkörner zu sehen,
die ich kurz zuvor darüber gestreut habe. Um das Hähnchen
herum brutzelt der Saft.

»Und jetzt die Soße«, verkündet Iris von der anderen Seite
der Küche. »Nimm das Hähnchen aus dem Bräter und lege es
auf einen Teller, dann deckst du alles ab, damit es warm bleibt.
Und jetzt halte den Bräter ein wenig schief. Siehst du diese großen Fettaugen, die auf dem Saft schwimmen? Die musst du mit
einem Löffel abschöpfen.«

Während sie redet, streut sie Streusel über einen Pflaumenkuchen. Sie gibt noch ein paar Butterflöckchen darüber und
schiebt das Ganze dann schwungvoll ins Ofenrohr. Ohne inne-
zuhalten greift sie sich einen Lappen und wischt ihre Arbeits-
fläche damit sauber. Ich sehe ihr schon den ganzen Tag lang zu,
wie rasch und geschickt, jede überflüssige Bewegung vermei-
dend, sie sich in der Küche bewegt, wie sie hier probiert, dort
kostet, unverkennbar Herrin der Lage. Bei ihr gibt es keine Panik. Alles nimmt seinen geordneten Lauf.

»Ja, so ist's richtig.« Sie steht neben mir und sieht mir zu, wie
ich den Bratensaft mit einem Schneebesen bearbeite. »Noch
ein bisschen mehr … in einer Minute wird das schön sämig
sein …«

Ich kann nicht fassen, dass ich Bratensoße mache. *Bratensoße.*

Und überhaupt – alles in dieser Küche scheint zu klappen.
Die Lebensmittel und Gewürze machen genau das, was man
von ihnen verlangt. Das Gemisch aus Hähnchensaft, Gemüse-

brühe und Mehl verwandelt sich wie durch Zauberhand in eine sämige, duftende Soße.

»Sehr gut!«, lobt mich Iris. »Und jetzt durch ein Sieb in eine Soßenschüssel gießen. Siehst du, wie leicht das geht?«

»Ich glaube, du bist eine Zauberin«, bricht es aus mir hervor. »Deshalb klappt hier alles. Du bist die reinste Kochhexe.«

»Eine Kochhexe!« Sie gluckst. »Gefällt mir. Und jetzt komm, runter mit der Schürze. Jetzt wollen wir uns die Früchte unserer Arbeit schmecken lassen.« Sie nimmt ihre Schürze ab und streckt dann die Hand nach meiner Schürze aus. »Nathaniel, ist der Tisch schon gedeckt?«

Nathaniel hat das ganze Wochenende über regelmäßig bei uns reingeschaut, und ich habe mich inzwischen an seine Anwesenheit gewöhnt. Tatsächlich war ich die meiste Zeit so ins Kochen vertieft, dass ich ihn kaum wahrgenommen habe. Jetzt ist er gerade dabei, Binsendeckchen auf dem Tisch zu verteilen, dazu Teller und altmodisches Besteck mit Horngriffen sowie weiche, karierte Stoffservietten.

»Wein für die Köche«, verkündet Iris, holt eine Flasche aus dem Kühlschank und entkorkt sie. Sie schenkt mir ein Glas ein und winkt mich dann zu Tisch. »Setz dich, Samantha. Das reicht für dieses Wochenende. Du bis sicher vollkommen erledigt.«

»Nein, mir geht's gut!«, widerspreche ich automatisch. Aber als ich mich auf den nächstbesten Stuhl sinken lasse, merke ich erst, *wie* erschöpft ich tatsächlich bin. Ich mache die Augen zu, und zum ersten Mal an diesem Wochenende kann ich mich entspannen. Meine Arme und mein Rücken schmerzen von all dem Rühren und Hacken und Mixen. Meine Sinne sind beinahe übersättigt von all den neuen Gerüchen, Eindrücken und Geschmacksempfindungen.

»Schlaf mir bloß nicht ein!« Iris' Stimme holt mich in die Wirklichkeit zurück. »Das ist unsere Belohnung! Nathaniel,

Schatz, bringe Samanthas Hähnchen her. Du kannst es tranchieren.«

Ich öffne die Augen und sehe Nathaniel, wie er sich mit dem auf einer Platte angerichteten Hähnchen nähert. Stolz wallt in mir auf, als ich es sehe, so golden und knusprig und saftig. Mein erstes Brathähnchen. Am liebsten hätte ich ein Foto davon gemacht.

»Du willst doch nicht etwa behaupten, dass *du* das gemacht hast?«, fragt Nathaniel ungläubig.

Haha. Er weiß ganz genau, dass ich es gemacht habe. Aber ich muss trotzdem grinsen.

»Bloß eine Kleinigkeit, die ich mal eben rasch gezaubert habe …« Ich zucke lässig mit den Schultern. »Was wir Cordon-Bleu-Köche eben so machen …«

Nathaniel tranchiert das Hähnchen mit geübten Bewegungen, und Iris serviert derweil das Gemüse. Als alle ihre Portion auf dem Teller haben, erhebt sie das Glas.

»Auf dich, Samantha. Du hast dich mehr als wacker geschlagen.«

»Danke.« Ich lächle und will gerade einen Schluck von meinem Wein nehmen, als ich merke, dass sich die anderen beiden nicht gerührt haben.

»Und auf Ben«, sagt Iris leise.

»Sonntags trinken wir immer auf Dad«, erklärt Nathaniel.

»Ach.« Nach kurzem Zögern erhebe ich ebenfalls mein Glas.

»So, dann wollen wir mal.« Iris Augen glänzen feucht, als sie ihr Glas abstellt.

»Der Augenblick der Wahrheit.« Sie probiert vom Hähnchen. Nervös beobachte ich, wie sie kaut.

»Sehr gut.« Sie nickt. »Wirklich sehr gut.«

Ich strahle, ich kann nicht anders. »Echt? Ist es gut?«

Iris erhebt ihr Glas. »Der Groschen ist gefallen. Zumindest in puncto Brathähnchen zubereiten.«

Ich genieße das warme Licht der Abendsonne und rede nicht viel, höre hauptsächlich den anderen beiden zu. Sie erzählen mir alle möglichen Geschichten über Trish und Eddie, wie sie einmal das örtliche Kirchlein kaufen und in eine Pension umwandeln wollten, und ich kann nicht anders, ich muss lachen. Nathaniel beschreibt mir, was er noch aus dem Garten der Geigers machen will. Später zeichnet er eine Skizze von der Lindenallee, die er auf Marchant House angelegt hat. Wenn er in Fahrt kommt, werden seine Striche schneller und der Bleistiftstummel wirkt in seiner Pranke geradezu zwergenhaft. Iris fällt auf, wie ich ihm bewundernd zusehe, und deutet auf ein Aquarell an der Wand, auf dem der Dorfteich zu sehen ist.

»Ben hat das gemalt.« Sie weist mit einem Nicken auf Nathaniel. »Er schlägt seinem Vater nach.«

Alle sind so entspannt, so locker, ganz anders als bei den Mahlzeiten bei uns zu Hause. Niemand hängt am Telefon. Niemand muss schnell weg zu irgendwelchen Terminen. Ich könnte den ganzen Abend hier sitzen.

Als sich das Essen dann schließlich doch dem Ende zuneigt, räuspere ich mich.

»Iris, ich möchte dir noch einmal von ganzem Herzen danken.«

»Ach, hat mir Spaß gemacht.« Iris schiebt sich ein Stück Pflaumenkuchen in den Mund. »Ich finde es herrlich, wenn ich jemanden rumkommandieren kann.«

»Nein, ehrlich, ich bin dir so dankbar. Ich weiß nicht, was ich ohne dich gemacht hätte.«

»Nächstes Wochenende machen wir Lasagne. Und Gnocchi!« Iris nimmt einen Schluck Wein und tupft sich den Mund ab. »Ein italienisches Wochenende. Das ist *die* Idee.«

»*Nächstes* Wochenende?« Ich starre sie erstaunt an. »Aber –«

»Du glaubst doch wohl nicht, dass du schon ausgelernt hast?« Sie lacht laut auf. »Wir haben gerade erst angefangen!«

»Aber ... ich kann doch unmöglich deine ganzen Wochenenden ...«

»Ich lasse dich noch nicht von der Leine«, erklärt sie fröhlich. »Dir bleibt nichts anderes übrig. Also, wo brauchst du noch Hilfe? Beim Putzen? Beim Waschen?«

Verlegen druckse ich herum. Offenbar hat sie von dem gestrigen Fiasko gehört.

»Ich weiß nicht, wie man mit der Waschmaschine umgeht«, gestehe ich schließlich schamrot.

Sie nickt. »Okay, ich komme vorbei, wenn sie aus dem Haus sind, und sehe mir das Ding mal an.«

»Und ich kann keine Knöpfe annähen ...«

»Knöpfe.« Sie nimmt Papier und Bleistift zur Hand und schreibt sich alles auf. »Und kannst du nähen? Einen Saum umnähen?«

»Äh ...«

»Nähen«, schreibt sie auf. »Was ist mit bügeln?« Sie blickt gespannt auf. »Du wirst doch sicher bügeln können. Oder wie hast du dich da rausgewunden?«

»Ich bringe die Wäsche zu Stacey Nicholson«, gestehe ich. »Aus dem Dorf. Sie nimmt drei Pfund pro Hemd.«

»Stacey Nicholson?« Iris legt empört den Stift weg. »Diese Göre?«

»In ihrer Anzeige stand, sie hätte langjährige Erfahrung im Bügeln.«

»Sie ist fünfzehn!« Iris schiebt empört den Stuhl zurück. »Samantha, du wirst *nicht* Stacey Nicholson dein Geld in den Rachen stopfen, damit sie dir die Bügelwäsche abnimmt! Du wirst selbst bügeln.«

»Aber ich habe noch nie −«

»Ich bring's dir bei. Jeder Idiot kann bügeln.« Sie greift in eine kleine Abstellkammer und holt ein altes Bügelbrett mit Blümchenmuster heraus. »Was hast du zu bügeln?«

»Hauptsächlich Mr. Geigers Hemden«, sage ich, mit einem nervösen Blick aufs Bügelbrett.

»Also gut.« Sie steckt das Bügeleisen an und dreht am Temperaturschalter. »Heiß für Baumwolle. Warte, bis das Licht ausgeht. Es hat keinen Zweck, mit lauwarmem Bügeleisen anzufangen. Also, ich zeige dir jetzt, wie man ein Hemd bügelt …«

Stirnrunzelnd wühlt sie in dem kleinen Kämmerchen in einem Haufen Bügelwäsche herum. »Hemden … Hemden … Nathaniel, zieh mal kurz dein Hemd aus.«

Ich erstarre. Nathaniel wirkt ebenfalls entsetzt.

»Mum!« Er stößt ein verlegenes Lachen aus.

»Ach, jetzt hab dich nicht so«, sagt Iris ungeduldig. »Du wirst doch wohl kurz dein Hemd ausziehen können. Wem macht das schon was aus? Dir macht's doch nichts aus, Samantha, oder?«

»Äh …« Meine Stimme ist ein wenig heiser. »Äh … nö, natürlich nicht …«

»Also, hier ist der Schalter für den Dampf.« Sie drückt auf einen Knopf und das Eisen spuckt einen zischenden Dampfstrahl aus. »Immer erst vorher nachschauen, ob genug Wasser in der Kammer ist! Nathaniel, ich warte!«

Durch die Dampfwolke kann ich sehen, wie sich Nathaniel zögernd das Hemd aufknöpft. Ich erhasche einen Blick auf glatte, braungebrannte Haut und schaue dann hastig zu Boden.

Jetzt sei nicht so kindisch, schimpfe ich mich. Dann zieht er eben sein Hemd aus. Ist doch keine große Sache.

Er wirft das Hemd seiner Mutter zu, die es geschickt auffängt. Meine Augen kleben am Boden. Ich werde nicht zu ihm hinsehen.

Nein, ich werde *nicht* zu ihm hinsehen.

»Also, man fängt mit dem Kragen an …« Iris breitet das Hemd auf dem Bügelbrett aus und streicht glättend darüber.

»Ganz leicht. Man muss überhaupt nicht fest aufdrücken.« Sie führt meine Hand mit dem Bügeleisen über den Stoff. »Mit leichter Hand … so.«

Das ist einfach lächerlich. Ich bin eine erwachsene Frau, kein unreifer Teenager. Ich kann doch wohl einen Mann mit nacktem Oberkörper anschauen, ohne gleich in Ohnmacht zu fallen. Ich werde also Folgendes tun: Ich werde einen Blick riskieren. Nur ganz schnell. Dann wäre das erledigt, und ich kann mich ganz aufs Bügeln konzentrieren.

»Und jetzt das Joch.« Iris dreht das Hemd um, und ich bügle vorsichtig weiter. »Sehr gut … und jetzt die Manschetten …«

Ich nehme einen Hemdzipfel, um das Hemd schwungvoll zu drehen, und blicke dabei, zufällig-absichtlich, auf.

Ach du dickes Ei.

Ich weiß nicht, ob das eine so gute Idee war. Von wegen, dann kann ich mich aufs Bügeln konzentrieren.

»Samantha?« Iris reißt mir das Bügeleisen aus der Hand. »Du verbrennst ja das Hemd!«

»Oh!« Ich schrecke aus meiner Erstarrung. »Sorry. Ich … war einen Moment nicht ganz bei mir.«

»Du glühst ja.« Iris legt mir besorgt eine kühle Hand an die Wange. »Dir fehlt doch nichts, Schätzchen?«

»Muss … muss der Dampf sein«, stammle ich. Mit hochroter Birne mache ich mich wieder ans Bügeln.

Iris instruiert mich weiter, doch ich höre kein Wort von dem, was sie sagt. Während ich blindlings vor mich hin bügle, kann ich an nichts anderes denken, als an a) Nathaniel, b) Nathaniel mit nacktem Oberkörper, c) ob Nathaniel wohl eine Freundin hat.

Doch schließlich schüttle ich ein perfekt gebügeltes Hemd aus.

»Sehr gut!«, sagt Iris applaudierend. »Ein bisschen Übung und du schaffst das in unter vier Minuten.«

»Sieht toll aus«, sagt Nathaniel und nimmt mir lächelnd das Hemd aus der Hand. »Danke.«

»Gern geschehen!«, presse ich mit quieksender Stimme hervor und wende hastig den Blick ab. Das Herz klopft mir bis zum Hals.

Na toll. Einfach toll. Ein Blick auf seinen göttlichen Body und ich hab mich total verknallt.

Ich hätte mich ehrlich für etwas weniger oberflächlich gehalten.

13

Er hat keine Freundin.

Das habe ich gestern Abend noch aus Trish rausgekitzelt (unter dem Vorwand, ich würde mich für die Leute aus dieser Gegend interessieren). Da gab's anscheinend mal ein Mädchen in Gloucester, aber das ist schon seit Monaten aus. Freie Bahn, also. Was mir jetzt noch fehlt, ist die richtige Taktik.

Beim Duschen und Anziehen kann ich an nichts anderes denken als an Nathaniel. Ich komme mir vor wie ein Teenager. Als Nächstes fange ich noch an, Herzchen mit »Samantha liebt Nathaniel« zu malen. Aber es ist mir egal. Als ich einen auf reif und vernünftig machte, lief es schließlich in Sachen Männer auch nicht besser.

Beim Kämmen schweift mein Blick über die von Morgennebel bedeckte Landschaft, und ich fühle mich rundum glücklich. Ich habe keinen Grund dafür. Eigentlich ist mein Leben noch immer ein einziges Desaster. Meine Karriere ist gestorben. Meine Familie hat keine Ahnung, wo ich bin. Ich verdiene einen Bruchteil von dem, was ich früher verdient habe. Und das für einen Job, bei dem ich, unter anderem, die schmutzige Unterwäsche anderer Leute vom Boden aufklauben muss.

Trotzdem summe ich glücklich vor mich hin, als ich mein Bett mache.

Mein Leben hat sich verändert und ich mich auch, mehr und mehr. Es scheint beinahe so, als wäre die alte Samantha nur noch eine Papierpuppe. Ich habe sie ins Wasser geworfen und dort löst sie sich nun allmählich auf. Und an ihre Stelle tritt die neue Samantha. Eine Samantha, der das Leben wieder etwas zu bieten hat.

Ich habe noch nie versucht, einen Mann zu erobern. Aber bis gestern habe ich ja auch noch nie ein Brathühnchen gemacht. Wenn ich das kann, kann ich doch wohl auch einen Mann bitten, mit mir auszugehen, oder? Die alte Samantha hätte brav gewartet, bis der Mann sie fragt. Aber nicht die neue Samantha. Ich habe die Dating-Shows im Fernsehen gesehen, ich weiß, wie das läuft. Ich weiß alles über Körpersprache, Blicke, Flirten.

Ich trete vor den Spiegel, und zum ersten Mal, seit ich hier bin, schaue ich mich wirklich an.

Was ich sofort bereue. Zunächst mal: Wie soll man auch in einer blauen Polyestertracht gut aussehen? Das ist doch fast unmöglich! Ich angle mir einen Gürtel, binde ihn um und schürze den Rock etwa zehn Zentimeter höher, wie wir's früher in der Schule mit den Uniformröcken immer gemacht haben.

»Hi«, sage ich zu meinem Spiegelbild und werfe lässig das Haar in den Nacken. »Hi, Nathaniel. Hi, Nat.«

Alles, was mir jetzt noch fehlt, ist jede Menge wackelig aufgetragener schwarzer Lidstrich und ich wäre wieder ganz mein vierzehnjähriges Selbst (ohne die Pickel).

Ich nehme meinen Schminkbeutel zur Hand und verbringe die nächsten zehn Minuten vor dem Spiegel, abwechselnd Schminke auftragend und wieder abwischend, bis ich endlich einigermaßen so aussehe, wie ich es mir vorstelle: natürlich und doch dezent geschminkt. Aber vielleicht habe ich auch nur zehn Minuten sinnlos vergeudet, wer weiß.

Jetzt zur Körpersprache. Stirnrunzelnd versuche ich, mich an die betreffenden Sendungen zu erinnern. Wenn sich eine Frau zu einem Mann hingezogen fühlt, weiten sich ihre Pupillen. Sie lehnt sich unbewusst vor, lacht über seine Scherze und entblößt Handgelenke und Handflächen.

Ich beuge mich versuchsweise vor und hebe die Handflächen.

Ich sehe aus wie Jesus.

Ich versuche es mit einem neckischen kleinen Lachen. »Ha ha ha! Hör auf, du bringst mich um!«

Jetzt sehe ich aus wie ein fröhlicher Jesus.

Irgendwie fällt es mir schwer zu glauben, dass das meine Chancen verbessern soll.

Ich gehe nach unten, ziehe die Vorhänge auf und lasse die Morgensonne herein. Dann hole ich die Post von der Türmatte. Ich bin gerade dabei, den Cotswold-Immobilienanzeiger durchzublättern, um zu sehen, was ein Häuschen in dieser Gegend kosten würde, als es an der Tür klingelt. Draußen steht ein Mann in der Uniform einer Lieferfirma. Er hält ein Klemmbrett in der Hand und in der Auffahrt hinter ihm steht ein Lieferwagen, auf dem »Alles für die Profiküche« steht.

»Lieferung für Geiger«, sagt er. »Wo sollen die Schachteln hin?«

»Ach so, ja«, sage ich nervös. »In die Küche, bitte. Danke.«

Alles für die Profiküche. Das wäre dann wohl für mich, die Profiköchin. Ich hatte irgendwie gehofft, noch ein Weilchen verschont zu bleiben.

»Was wird da geliefert, Samantha?«, ruft Trish schrill und trippelt in Morgenmantel und hochhackigen Pantöffelchen die Treppe hinunter. »Sind das Blumen?«

»Nein, die Küchenausrüstung, die Sie für mich bestellt haben!« Es gelingt mir sogar, ein wenig Begeisterung in meine Stimme zu legen.

»Ah, na *endlich*!« Trish strahlt mich an. »Jetzt können Sie uns endlich mit Ihren Kochkünsten verblüffen! Heute gibt's gebackene Seebrasse mit Gemüse Julienne, nicht wahr?«

»Äh … ich denke schon.« Schluck.

»Vorsicht, die Damen!«

Wir springen beiseite und lassen zwei Männer mit hohen Kistenstapeln an uns vorbei. Ich folge ihnen in die Küche und betrachte fassungslos den wachsenden Haufen. Wie viel, um alles in der Welt, haben die Geigers eigentlich bestellt?

»Also, wir haben *alles* für Sie bestellt«, erklärt Trish, als hätte sie meine Gedanken gelesen. »So machen Sie schon! Auspacken! Sicher können Sie es kaum erwarten!«

Ich nehme mir ein Messer und mache mich an die erste Schachtel, während Trish mit ihren krallenartigen Fingernägeln eine andere aufschlitzt. Aus einem Nest von Styroporflocken und Luftpolsterfolie hebe ich … ein Dings. Was Glänzendes. Was, zum Teufel, soll das sein? Ich werfe einen verstohlenen Blick auf das Etikett. *Hefekranz-Backform*.

»Ach, eine Hefekranz-Backform!«, rufe ich freudig aus. »Genau das, was ich mir gewünscht habe.«

»Davon haben wir nur acht bestellt«, sagt Trish besorgt. »Reicht das?«

»Äh …« Hilflos mustere ich die Backform. »Sollte eigentlich reichen.«

»Und jetzt zu den Kochtöpfen.« Trish hat eine Schachtel mit blitzblanken Töpfen aufgeschlitzt und hält mir erwartungsvoll einen davon hin. »Man hat uns versichert, dass dies die *allerbeste* Qualität ist. Was meinen Sie? Als Profi?«

Ich schaue den Topf an. Er ist neu und er glänzt. Das ist so ungefähr alles, was ich dazu sagen kann.

»Wollen doch mal sehen«, sage ich so professionell wie möglich. Ich wiege den Topf prüfend in der Hand, hebe ihn hoch, begutachte den Boden, fahre mit dem Finger über den Rand und schnippe schließlich noch mit dem Fingernagel dagegen, dass es »ping« macht. »O ja, das ist eine hervorragende Qualität«, verkünde ich dann. »Da haben Sie was Gutes gekauft.«

»Oh, toll!« Trish taucht strahlend in einer anderen Schachtel ab. »Und sehen Sie sich *das* mal an!« In einer Explosion von Styroporflocken taucht sie wieder auf und hält ein seltsames Teil mit einem Holzgriff hoch. »So was hab ich noch nie im Leben gesehen! Was *ist* das, Samantha?«

Stumm starre ich das Teil an. Was in Gottes Namen ist das? Sieht aus wie eine Kreuzung aus Sieb, Mixer und Raspler. Ich werfe einen verstohlenen Blick auf die Packung, aber ohne Erfolg. Trish hat beim Auspacken die entscheidende Stelle leider mit abgerissen.

»Was ist das?«, wiederholt Trish.

Jetzt komm schon. Du bist eine Profiköchin. Du musst wissen, was das ist.

»Also, das wird für einen hochspezialisierten Kochvorgang verwendet«, fasle ich schließlich. »Hochspezialisiert.«

»Aber was *macht* man damit?« Trish starrt mich bewundernd an. »Zeigen Sie's mir!« Sie drückt mir das Teil in die Hand.

»Ja, also.« Ich drehe und wende das verflixte Ding. »Man … man rührt damit … leicht aus dem Handgelenk … so … mit so einer Schüttelbewegung …« Ich peitsche ein paar Mal damit in die Luft. »So in der Art. Kann man schwer zeigen, ohne … äh … Trüffel.«

Trüffel? Wo kam das jetzt her?

»Beim nächsten Mal zeige ich's Ihnen«, sage ich hastig und lege das Dings auf die Anrichte, als ob es heiß wäre.

»Ach ja, bitte!«, ruft Trish entzückt. »Und wie nennt man das?«

»Also ich nenne es immer … einen Trüffelschläger«, stammle ich. »Könnte natürlich auch einen anderen Namen haben. Wie wär's jetzt mit einem schönen Kaffee?«, füge ich hastig hinzu. »Dann packe ich den Rest später aus.«

Ich schalte den Wasserkocher an und nehme die Kaffeedose heraus. Dabei fällt mein Blick hinaus auf den Garten. Nathaniel geht gerade über den Rasen.

O Gott. Verknallstufe Rot. Sämtliche Liebesglocken bimmeln.

Ich kann den Blick nicht von ihm losreißen. Sein dichtes, braunes Haar glänzt in der Sonne, und er hat eine alte, ausgebleichte Jeans an. Während ich ihn beobachte, hebt er schwungvoll einen riesigen Sack hoch und wirft ihn auf etwas, das ein Komposthaufen sein könnte.

Ohne es zu wollen, stelle ich mir vor, wie er mich so schwungvoll hochhebt und auf seinen starken Armen davonträgt. Ich meine, *so* viel schwerer als ein Kartoffelsack kann ich doch wohl nicht sein –

»Also, wie war Ihr Wochenende, Samantha?«, reißt Trish mich aus meinen Träumen. »Wir haben Sie ja kaum zu Gesicht bekommen! Sind Sie viel im Dorf gewesen?«

»Ich war bei Nathaniel«, sage ich geistesabwesend.

»Bei Nathaniel?«, stößt Trish ungläubig hervor. »Dem *Gärtner*? Wieso das denn?«

Sofort wird mir klar, was für einen Riesenfehler ich gemacht habe. »Um kochen zu lernen«, kann ich ja wohl schlecht sagen. Ich starre sie einen Moment lang an wie ein Schaf, doch mir fällt kein überzeugender Grund ein.

»Na ja … eigentlich bloß um Hallo zu sagen«, stammle ich schließlich. Gott, wie lahm. Und jetzt werde ich auch noch rot.

Ich kann förmlich zusehen, wie Trish ein Kronleuchter aufgeht, denn ihre Augen werden mit einem Mal groß wie Untertassen.

»Ach, so! Ich *verstehe!* Gottchen, wie *reizend!*«

201

»Nein!«, sage ich rasch. »Das ist es nicht … im Ernst …«

»Machen Sie sich keine Sorgen!«, unterbricht mich Trish begeistert. »Ich werde *kein Wort* verraten! Ich bin verschwiegen wie ein Grab.« Sie legt einen Finger an die Lippen. »Sie können sich auf mich verlassen.«

Bevor ich noch etwas sagen kann, nimmt sie ihren Kaffee und verschwindet. Und ich sitze zwischen all den Schachteln und dem Verpackungsmaterial und zupfe am Trüffelschläger herum.

Gott, wie peinlich. Aber es spielt wohl keine Rolle. Solange sie nicht irgendwas Blödes zu Nathaniel sagt.

Dann merke ich, dass *ich* blöd bin. *Natürlich* wird sie was zu Nathaniel sagen. Irgendeine Anspielung machen. Subtil mit dem Holzhammer. Und wer weiß, was er dann denkt. Liebe Güte, das könnte wirklich peinlich werden. Es könnte alles kaputtmachen.

Ich muss zu ihm gehen und die Situation klarstellen. Ich muss ihm erklären, dass Trish mich missverstanden hat und dass ich keineswegs in ihn verschossen bin. Oder so.

Obwohl ich es natürlich doch bin.

Was ich ihm wiederum auf dezente Weise zu verstehen geben muss.

Ich zwinge mich, damit zu warten, bis ich Trish und Eddie das Frühstück gemacht habe, die neuen Töpfe und Pfannen ausgepackt und weggeräumt und eine Öl-Zitronensaft-Marinade für die Fischfilets heute Abend vorbereitet habe, genau wie Iris es mir beigebracht hat.

Dann ziehe ich meinen Rock noch ein wenig höher, trage noch ein wenig mehr Eyeliner auf, um für alles gerüstet zu sein, und mache mich mit einem Korb, den ich in der Speisekammer aufgetrieben habe, auf den Weg in den Garten. Falls Trish wissen will, was ich tue, werde ich sagen, Kräuter sammeln.

Nachdem ich eine Weile im Garten herumgestöbert habe, entdecke ich Nathaniel schließlich hinter der Mauer, im Obsthain. Er steht auf einer Leiter und bindet einen Ast mit einem Strick hoch. Als ich auf ihn zugehe, merke ich, dass ich auf einmal schrecklich nervös bin. Mein Mund ist ganz trocken und meine Knie – die *schlackern* doch nicht etwa?

Mein Gott, man könnte meinen, dass ich mich besser im Griff hätte. Man könnte meinen, dass ich nach sieben Jahren als Rechtsanwältin ein wenig routinierter mit so einer Situation umgehen könnte. Ich trete an die Leiter heran, werfe mein Haar in den Nacken und blicke lächelnd zu ihm auf, wobei ich versuche, die Augen trotz der Sonne möglichst weit aufzureißen.

»Hi!«

»Hi.« Nathaniel blickt lächelnd auf mich nieder. »Wie läuft's?«

»Prima, danke! Viel besser. Keine Katastrophen. Bis jetzt, jedenfalls.«

Stille. Plötzlich wird mir bewusst, dass ich seine Hände, die mit dem Seil beschäftigt sind, ein wenig zu auffällig anstarre. »Ich war auf der Suche nach … Rosmarin.« Ich deute auf meinen Korb. »Hast du welchen für mich?«

»Na klar. Warte, ich schneide dir was ab.« Er springt von der Leiter, und wir gehen zusammen über den schmalen Kiesweg zum Kräutergarten.

Es ist vollkommen still, bis auf das Summen der Insekten und das Knirschen von Kies unter unseren Füßen. Ich will irgendwas Unbekümmertes, Fröhliches sagen, aber mir fällt nichts ein.

»Ganz schön heiß«, presse ich schließlich hervor.

Toll.

»Mhm.« Nathaniel nickt und steigt geschickt über das Mäuerchen, das den Kräutergarten umgrenzt. Ich versuche ihm mit einem eleganten Hüpfer zu folgen und stoße mir prompt den Zeh an. Aua.

»Hast du dir wehgetan?« Nathaniel dreht sich um.

»Nö, nö!« Ich strahle, obwohl mein Zeh höllisch wehtut. »Äh ... hübsche Kräuter!« Mit aufrichtiger Bewunderung deute ich auf den Garten. Er ist als Sechseck angelegt, mit schmalen Pfaden zwischen den Beeten. »Hast du das alles gemacht? Wahnsinn.«

»Danke. Bin ganz zufrieden.« Nathaniel lächelt. »Ach ja, dein Rosmarin.«

Er holt eine Gartenschere aus einer Art Lederhalfter an seinem Gürtel und fängt an, an einem nadeligen, dunkelgrünen Busch herumzuschnippeln.

Mein Herz fängt an zu hämmern. Ich muss es jetzt sagen.

»Also ... da ist was Komisches passiert«, beginne ich in so beiläufigem Ton wie möglich und fingere dabei an irgendeinem buschigen Gewächs herum. »Trish hat es sich irgendwie in den Kopf gesetzt, dass wir ... dass wir ... na, du weißt schon.«

»Aha.« Er nickt, ohne mich anzusehen.

»Was natürlich ... lächerlich ist!«, füge ich mit einem gekünstelten Lachen hinzu.

»Mhm.« Er knipst noch ein paar Rosmarinzweige ab und streckt sie mir hin. »Reicht das?«

Mhm? Ist das alles, was er dazu zu sagen hat?

»Nein, ich brauche noch mehr«, sage ich, und er dreht sich wieder zu dem Busch um. »Also ... ist das nicht lächerlich?«, sage ich in dem verzweifelten Versuch, eine ordentliche Reaktion aus ihm hervorzulocken.

»Klar.« Endlich sieht mich Nathaniel an, die gebräunte Stirn in Falten geworfen. »Du willst dich sicher nicht so schnell wieder auf was einlassen. Nicht, nach der letzten schlimmen Beziehung.«

Ich starre ihn verständnislos an. Was um alles in der Welt –
Ach ja. Meine »schlimme« Beziehung.

»Ach so«, sage ich nach einer kurzen Pause. »Ja, das.«
Verdammt.

Wieso habe ich eine Beziehung erfunden? Was habe ich mir
bloß dabei *gedacht*?

»Hier, dein Rosmarin.« Nathaniel drückt mir ein duftendes
Büschel in die Arme. »Sonst noch was?«

»Äh … ja! Könnte ich noch etwas Minze haben?«

Ich sehe zu, wie er vorsichtig über ein paar Beete steigt und
vor der Minze stehen bleibt, die in großen Steintrögen wächst.

»Eigentlich …«, zwinge ich mich, so beiläufig wie möglich
zu sagen. »Eigentlich war die Beziehung gar nicht *so* schlimm.
Eigentlich bin ich schon so gut wie drüber weg.«

Nathaniel schaut mich an, die Augen vor der blendenden
Sonne abschirmend.

»Du hast eine siebenjährige Beziehung in einer Woche ver-
daut?«

Jetzt, wo er es so ausdrückt, klingt es wirklich ein bisschen
unwahrscheinlich. Ich überlege fieberhaft.

»Na ja, ich bin eben sehr robust. Widerstandsfähig. Der
reinste Gummi.«

»Gummi«, echot er. Seine Miene ist undurchdringlich.

War Gummi blöd ausgedrückt? Nein, Gummi ist sexy.

Nathaniel drückt mir jetzt auch noch die Minze in die
Arme. Er sieht aus, als könne er sich keinen Reim auf mich
machen.

»Mum hat gesagt …« Er stockt verlegen.

»Was?«, sage ich atemlos. Sie haben über mich gesprochen?

»Mum hat sich gefragt, ob du vielleicht … geschlagen worden bist.« Sein Blick weicht mir aus. »Weil du so verkrampft
und angespannt bist und bei jedem Geräusch zusammen-
zuckst.«

»Ich bin nicht verkrampft!«

Das war jetzt wohl ein bisschen verkrampft.

»Ich bin eben ein nervöser Typ«, versuche ich mich zu rechtfertigen. »Aber ich bin nicht geschlagen worden oder so was. Es war nur … irgendwie habe ich mich immer … eingesperrt gefühlt.«

Ich bin selbst überrascht, dass ich das gesagt habe.

Ich muss an meine Zeit bei Carter Spink denken. Wie ich manchmal wochenlang praktisch überhaupt nicht aus der Kanzlei rausgekommen bin. Nicht mal an den Wochenenden. Die riesigen Aktenberge, selbst zu Hause. Stündlich irgendwelche E-Mails. Ja, manchmal habe ich mich wirklich wie eine Gefangene gefühlt.

»Aber jetzt geht es mir wieder gut.« Ich schüttle mein Haar zurück. »Jetzt bin ich wieder bereit … äh … für eine neue Beziehung … oder was dazwischen … äh …«

Ein One-Night-Stand würde mir schon genügen.

Ich blicke zu ihm auf und versuche, meine Pupillen so groß wie möglich zu machen. Dazu hebe ich noch lässig die Hand an mein Ohr.

Stille. Angespannte Stille. Nur das Summen von Insekten ist zu hören.

»Ich finde, du solltest nichts überstürzen«, sagt Nathaniel schließlich. Ohne mir in die Augen zu sehen, wendet er sich ab und begutachtet die Blätter an einem Gebüsch.

Sein Rücken wirkt irgendwie steif. Jäh wird mir klar, was das bedeutet, und Schamröte schießt mir ins Gesicht. Er gibt mir zu verstehen, dass er nicht will. Dass er nicht an mir interessiert ist.

Aaaah! Wie schrecklich, wie peinlich! Hier stehe ich, werfe mich ihm praktisch *an den Hals* … und er lässt mich abblitzen.

Ich könnte im Boden versinken. Ich muss weg von hier. Weg von ihm.

»Du hast Recht«, stoße ich mit hochroten Wangen hervor. »Es ist ... viel zu früh, um irgendwas anzufangen. Eine echt *dumme* Idee. Nein, ich werde mich besser auf meine Arbeit konzentrieren. Aufs Kochen und ... und ... so weiter. Ich muss gehen. Danke für die Kräuter.«

»Jederzeit.«

»Tja. Also, wir sehen uns.«

Das Kräuterbündel fest an mich gedrückt, drehe ich mich auf dem Absatz um, steige über das Mäuerchen – diesmal wenigstens ohne mir einen Zeh zu verstauchen – und hetze über den Kiespfad zum Haus zurück.

Ich könnte im Erdboden versinken, ehrlich. So viel zur »neuen« Samantha!

Das ist das letzte Mal, dass ich versuche, die Initiative zu ergreifen. Das erste und letzte Mal. Meine übliche Strategie – höflich abwarten und zusehen, wie er sich schließlich für eine andere entscheidet – war da noch tausendmal besser.

Na jedenfalls, ist ja auch egal. Ist sogar besser so. Denn ich muss mich ja sowieso auf meine Arbeit konzentrieren. Kaum wieder im Haus, stelle ich das Bügelbrett auf, stecke das Bügeleisen ein, drehe das Radio an und mache mir eine schöne, starke Tasse Kaffee. Das ist es. Von jetzt ab werde ich mich nur und ausschließlich auf meine Arbeit konzentrieren. Meine Pflichten erledigen. Nicht irgend so einem blöden Gärtner hinterherlaufen. Ich werde schließlich bezahlt, um den Haushalt zu führen. Und genau das werde ich tun.

Gegen Mitte des Vormittags habe ich bereits zehn Hemden gebügelt, eine Ladung Wäsche gewaschen und den Wintergarten durchgesaugt. Gegen Mittag habe ich sämtliche Räume im Erdgeschoss gesaugt und Staub gewischt und alle Spiegel mit Essig geputzt. Zur Teezeit habe ich eine zweite Ladung Wäsche erledigt, mein Gemüse im Schredder fein gehackt, den

Wildreis fürs Abendessen abgewogen und behutsam vier Teigförmchen für die Obsttörtchen zum Dessert vorbereitet, genau wie Iris es mir gezeigt hat.

Gegen Abend habe ich ein Blech mit vier verbrannten Teigförmchen weggeworfen und vier neue gemacht, die ich mit Erdbeeren gefüllt und mit warmer, flüssiger Aprikosenmarmelade übergossen habe. Ich habe das fein gehackte Gemüse in Olivenöl und Knoblauch angedünstet und die grünen Bohnen blanchiert. Die Seebrassenfilets sind auch schon fix und fertig im Rohr. Leider habe ich auch eine Kleinigkeit mehr vom Kochwein (ein Wermut, diesmal) intus als gut für mich ist, aber was soll's.

Mein Gesicht ist krebsrot, ich bin ganz hibbelig und hetze in einer Art rasender Trance durch die Küche … fühle mich jedoch prima. Ja, sogar fast euphorisch. Hier stehe ich und koche wirklich und wahrhaftig eine warme Mahlzeit … ganz allein! Und es klappt! Na ja, größtenteils. Über das Champignon-Fiasko breiten wir am besten den Mantel des Schweigens – und den Mülleimerdeckel.

Ich habe den Esstisch mit dem schönsten Geschirr gedeckt, das ich finden konnte, habe Kerzen in den silbernen Kerzenleuchter gesteckt. Ich habe eine Flasche Prosecco kalt und die Teller warm gestellt und ich habe sogar Trishs Lieblings-CD mit Lovesongs von Enrique Iglesias in den CD-Player gesteckt. Ich komme mir vor, als würde ich meine erste Dinnerparty geben.

Mit einem angenehmen Kribbeln im Bauch streiche ich meine Schürze glatt, stoße die Küchentür auf und rufe: »Mrs. Geiger? Mr. Geiger?«

Was ich bräuchte, wäre ein Gong.

»Mrs. Geiger?«, versuche ich es abermals.

Keine Antwort. Nada. Niente. Ich hatte eigentlich erwartet, dass sie inzwischen vor der Küche herumlungern würden. Also gehe ich in die Küche zurück, schnappe mir ein Glas und eine Gabel, gehe hinaus und schlage das eine laut gegen das andere.

Nichts. Wo stecken die Leutchen?

Ich schaue in alle Zimmer im Erdgeschoss, aber keiner ist da. Schüchtern setze ich den Fuß auf die Treppe.

Vielleicht widmen sie sich ja gerade einer besonders kniffligen Stelle aus *Joy of Sex*. Vielleicht sollte ich lieber nicht stören.

»Äh … Mrs. Geiger?«, rufe ich zögernd. »Das Dinner ist serviert.«

Vom Ende des Gangs dringen Stimmen an mein Ohr. Ich nähere mich vorsichtig. »Mrs. Geiger?«

Plötzlich fliegt die Tür mit einem Knall auf.

»Wofür ist Geld denn da?«, kreischt Trish in den höchsten Tönen. »Sag mir das mal!«

»Ich brauche dir nicht zu sagen, wofür Geld da ist!«, brüllt Eddie ihr nach. »Das war noch nie nötig!«

»Du kapierst aber auch *gar nichts* –«

»Oh, ich kapiere alles! Ich kapiere schon!« Eddie klingt, als würde ihm jeden Moment die Halsschlagader platzen. »Erzähle mir ja nicht, dass ich nichts kapieren würde!«

Oooookay. Also nicht *Joy of Sex*. Ich wende mich vorsichtig ab und will mich auf Zehenspitzen davonmachen – aber zu spät.

»Und was ist mit *Portugal*?«, kreischt Trish. »Hast du *das* schon vergessen?« In einem Wirbel von Pink kommt sie aus dem Zimmer geschossen. Als sie mich sieht, bleibt sie abrupt stehen.

»Äh … das Dinner wäre bereit«, murmle ich, den Blick auf den Teppich geheftet. »Madam.«

»Wenn du dieses *beschissene* Portugal noch einmal erwähnst, dann –« Eddie kommt aus dem Zimmer gestürmt.

»Eddie!«, fährt Trish ihren Göttergatten an und weist mit einem unmerklichen Nicken auf mich. »Pas devant.«

»Was?« Eddie funkelt sie böse an.

209

»Pas devant les … les …« Sie macht mit ihren Händen Drehbewegungen, als könne sie die fehlende Vokabel aus der Luft herausleiern.

»Domestiques?«, schlage ich hilfsbereit vor.

Trish wirft mir einen giftigen Blick zu und rafft sich dann mit sichtlicher Würde zusammen. »Ich werde mich auf mein Zimmer zurückziehen.«

»Das ist auch mein beschissenes Zimmer!«, ruft Eddie wütend, doch die Tür ist bereits mit einem Knall zugefallen.

»Äh … ich hätte das Dinner fertig …«, melde ich mich schüchtern zu Wort, aber Eddie stapft bereits wütend zur Treppe und hört mich gar nicht.

Verzweiflung keimt in mir auf. Wenn die Seebrasse nicht bald gegessen wird, wird sie trocken und schrumpelig.

»Mrs. Geiger?« Ich klopfe an die Tür. »Ich möchte bloß nicht, dass das Essen verdirbt –«

»Na und?«, dringt ihre erregte Stimme gedämpft durch die Tür. »Ich bin jetzt nicht in Stimmung zum Essen.«

Fassungslos starre ich die Tür an. Den ganzen Tag habe ich mich in der Küche abgerackert, um dieses Essen für sie auf die Beine zu stellen. Alles ist bereit. Die Kerzen brennen, der Fisch ist im Rohr. Sie können das alles doch nicht einfach stehen lassen!

»Ihr *müsst* essen!«, rufe ich heftig aus, und Eddie bleibt auf halber Treppe wie angewurzelt stehen. Die Schlafzimmertür geht auf, und Trish schaut erstaunt hinaus.

»Wie bitte?«

Okay. Möglicherweise bin ich eine Winzigkeit zu weit gegangen.

»Der Mensch muss nun mal essen«, improvisiere ich. »Das ist ein Grundbedürfnis. Warum also nicht Ihre Differenzen bei einem schönen Essen durchsprechen? Oder noch besser, erst mal auf Eis legen! Ein schönes Glas Wein und kein Wort von … von … äh, Portugal.«

210

Noch während ich das Wort sage, merke ich, wie sich die Gemüter wieder erhitzen.

»*Ich* war nicht derjenige, der davon angefangen hat«, knurrt Eddie. »Ich hatte geglaubt, das Thema wäre ein für alle Mal erledigt.«

»Ich habe es nur erwähnt, weil du so *unsensibel* warst …«, schrillt Trish und wischt sich eine jäh hervorquellende Träne aus dem Auge. »Was glaubst du, wie ich mich fühle, als deine … deine Trophäe?!«

Trophäe?

Ich darf nicht lachen.

»Trish.« Zu meinem Erstaunen kommt Eddie die Treppe hinaufgeeilt, so schnell es sein Schmerbauch erlaubt. »Sag das *nie* wieder.« Er packt sie bei den Schultern und blickt ihr erregt in die Augen. »Wir waren immer Partner. Das weißt du doch. Seit Sydenham.«

Zuerst Portugal, jetzt Sydenham. Eines Tages werde ich Trish bei einer Flasche Wein ihre Lebensgeschichte entlocken müssen.

»Ich weiß«, flüstert Trish.

Sie blickt mit einem Ausdruck zu Eddie auf, als würde es außer ihm nichts auf der Welt geben, und mir versetzt es plötzlich einen Stich. Die beiden lieben sich wirklich. Ich kann förmlich sehen, wie die Differenzen sich in Wohlgefallen auflösen. Fast, als würde man eine chemische Reaktion in einem Teströhrchen beobachten.

»Komm, lass uns essen gehen«, schlägt Eddie schließlich vor. »Samantha hat Recht. Wir sollten schön was essen. Über alles reden.«

Er wirft mir einen Blick zu, und ich grinse erleichtert. Gott sei Dank, das wäre ja noch mal gut gegangen. Und die Seebrasse müsste auch noch gerade so in Ordnung sein …. Jetzt muss ich nur noch die Soße in ein Soßenschälchen abfüllen …

»Ja, du hast Recht«, schnieft Trish. »Samantha, wir werden heute zum Essen ausgehen.«

Mein Grinsen erstarrt zu Eis. Was?

»Machen Sie sich keine Mühe mit dem Kochen«, wirft Eddie ein und tätschelt mir onkelhaft den Arm. »Sie können sich den Abend freinehmen.«

Was?

»Aber ... ich hab schon gekocht! Alles ist fertig!«

»Ach, das macht ja nichts.« Trish macht eine vage Handbewegung. »Sie dürfen es selbst essen.«

Nein. Nein. Das kann nicht sein.

»Aber ich habe gedeckt! Alles fertig: die Fischfilets ... das Gemüse Julienne ...«

»Wo sollen wir hingehen?«, fragt Trish, als hätte ich überhaupt nichts gesagt. »Sollen wir es im Mill House versuchen?«

Während ich dastehe wie ein begossener Pudel, verschwinden die beiden im Schlafzimmer. Die Tür fällt zu, und ich bleibe allein im Gang zurück.

So viel zu meiner ersten Dinnerparty.

Als die beiden in Eddies Porsche davongebraust sind, schleppe ich mich ins Esszimmer und räume alles wieder ab. Ich stelle die Gläser weg, falte die Servietten zusammen und blase die Kerzen aus. Dann gehe ich in die Küche zurück und sehe mich einen Moment lang um, all die Teller und Platten, die ich vorbereitet hatte ... Alles auf den Punkt fertig. Meine Sauce blubbert noch auf dem Herd. Meine Zitronenscheibchen für die Deko. Und ich war so stolz auf mein Dinner.

Was soll's! Es lässt sich nicht mehr ändern.

Der Fisch sieht mittlerweile ziemlich mitleiderregend aus, dennoch nehme ich mir ein Filet und schenke mir ein Glas Wein ein. Ich setze mich an den Tisch, steche mir ein Stück ab und hebe es zum Mund. Dann lege ich Messer und Gabel wieder weg, ohne auch nur einen Bissen probiert zu haben. Mir ist der Appetit vergangen.

Ein ganzer Tag. Alles für die Katz. Und morgen das Gleiche wieder von vorne. Bei diesem Gedanken würde ich am liebsten den Kopf auf die Arme sinken lassen und heulen.

Was mache ich eigentlich hier?

Ich meine, im Ernst. Was mache ich? Warum packe ich nicht auf der Stelle meine Sachen und fahre nach London zurück?

Während ich so zusammengesunken am Tisch sitze, dringt ein dezentes Klopfen an mein Ohr. Ich blicke auf und sehe Nathaniel in der offenen Hintertür lehnen, den Rucksack über der Schulter. Sofort muss ich an seine Abfuhr von heute früh denken. Ohne es zu wollen, drehe ich meinen Stuhl ein wenig von ihm ab und verschränke die Arme.

»Hi«, sage ich mit einem leichten Schulterzucken, das ihm Folgendes zu verstehen geben soll: Falls du glaubst, dass ich was von dir will, Freundchen, bist du auf dem Holzweg.

»Ich dachte, ich schaue mal vorbei, um zu sehen, ob du vielleicht Hilfe brauchst.« Sein Blick gleitet über die Platten voll unberührtem Essen. »Was ist passiert?«

»Sie wollten es nicht. Sind zum Essen ausgegangen.«

Nathaniel starrt mich einen Moment lang reglos an, dann schließt er kurz die Augen und schüttelt den Kopf. »Nachdem du den ganzen Tag in der Küche gestanden bist und dich für sie abgerackert hast?«

»Es ist ihr Essen. Ihr Haus. Sie können machen, was sie wollen.«

Ich versuche, es möglichst sachlich zu sagen, als würde es mir überhaupt nichts ausmachen, doch meine Enttäuschung ist so groß, dass ich sie nicht ganz verbergen kann. Nathaniel stellt seinen Rucksack ab, geht zum Fischbräter und inspiziert die Seebrasse. »Sieht lecker aus.«

»Nein, sieht aus wie verkochter Fisch in geronnener Soße«, korrigiere ich ihn.

»Genau wie ich ihn mag.« Er grinst, aber mir ist das Lachen vergangen.

»Dann nimm dir ruhig.« Ich wedle mit der Hand in Richtung all der Platten und Töpfe. »Sonst mag es ja keiner.«

»Also gut. Wäre eine Schande, all das gute Essen verkommen zu lassen.« Er nimmt sich von allem und häuft sich seinen Teller geradezu lächerlich voll, schenkt sich ein Glas Wein ein und nimmt mir gegenüber am Tisch Platz.

Einen Moment lang sagt keiner von uns etwas. Ich schaue ihn nicht einmal an.

»Auf dich.« Nathaniel erhebt sein Glas. »Gratuliere.«

»Schon gut.«

»Nein, im Ernst, Samantha.« Er wartet geduldig, bis ich mich dazu überwinde, ihn anzusehen. »Ob sie's nun gegessen haben oder nicht, das ist eine echte Leistung. Ich meine, verflucht noch mal.« Sein Mund zuckt. »Weißt du noch das letzte Essen, das du hier gekocht hast?«

Jetzt muss ich doch ein wenig lächeln. »Das Lamm des Grauens, meinst du.«

»Diese *Kichererbsen*. Die werde ich nie vergessen.« Mit einem fassungslosen Kopfschütteln probiert er vom Fisch. »Der Fisch ist übrigens sehr gut.«

Ich muss an jene kleinen, verkohlten Kügelchen denken, an mich selbst, wie ich wie ein aufgescheuchtes Huhn in der Küche herumgeflattert bin, die verunglückten Baisers, wie alles auf den Boden tropfte … unwillkürlich überkommt mich der Drang zu kichern. Ich habe seitdem schon so viel gelernt.

»Also, wenn *du* nicht versucht hättest, mir zu helfen«, sage ich schließlich, »wäre das Ganze auch gut gegangen. Hatte alles unter Kontrolle. Bis du aufgetaucht bist.«

Nathaniel legt kauend die Gabel beiseite. Einen Moment

lang schaut er mich nur an, die Augenwinkel ein wenig gekräuselt … als würde er sich über etwas amüsieren. Ich spüre, wie mir eine verräterische Röte in die Wangen kriecht, und als ich nach unten blicke, sehe ich, dass meine Hände mit den Handflächen nach oben auf dem Tisch liegen.

Und ich habe mich vorgebeugt, wie ich mit jähem Entsetzen feststelle. Meine Pupillen haben wahrscheinlich inzwischen Untertassengröße. Ich könnte nicht klarer signalisieren, dass ich in ihn verknallt bin, als wenn ich mir mit Filzstift »ich liebe dich« auf die Stirn geschrieben hätte.

Hastig lege ich meine Hände in den Schoß, setze mich gerade hin und lege einen frostigen Gesichtsausdruck auf. Ich habe ihm den Vorfall von heute Vormittag noch längst nicht verziehen. Im Gegenteil, ich hätte gute Lust, ein, zwei Bemerkungen dazu zu machen.

»Also«, hebe ich an, gerade als Nathaniel ebenfalls etwas sagen will.

»Bitte«, sagt er und nimmt einen Bissen Fisch. »Nach dir.«

»Tja.« Ich räuspere mich. »Nach unserem … Gespräch heute Morgen wollte ich nur sagen, dass du ganz Recht hast. Ich sollte mich nicht so schnell wieder auf etwas Neues einlassen. Ich bin weder bereit noch interessiert. Nicht im geringsten.«

So. Das hat gesessen. Ich weiß zwar nicht, wie überzeugend das geklungen hat, aber zumindest habe ich auf diese Weise ein wenig Würde zurückgewonnen.

»Und – was wolltest du sagen?«, frage ich und schenke ihm Wein nach.

»Ich wollte dich fragen, ob du mit mir ausgehen willst«, sagt Nathaniel. Ich überflute um ein Haar die ganze Tischdecke.

Was? *Was will er?*

Das mit den Händen hat *funktioniert?*

»Aber keine Sorge.« Er nimmt einen kräftigen Schluck. »Ich verstehe schon.«

Umschwenken. Umschwenken. Wie mache ich das jetzt bloß? Eine Kurskorrektur. Aber subtil, damit er nichts merkt …

Ach, zur Hölle damit. Ich bin eine Frau. Ich darf meine Meinung ändern, so oft ich will.

»Nathaniel«, würge ich heraus, »ich würde schrecklich gerne mit dir ausgehen«.

»Prima.« Er wirkt überhaupt nicht erschüttert. »Wie wär's mit Freitag?«

»Perfekt.«

Ich grinse wie ein Honigkuchenpferd. Und plötzlich merke ich auch, wie hungrig ich bin. Ich nehme Messer und Gabel zur Hand und mache mich über meine vertrocknete Seebrasse her.

14

Es ist Freitagvormittag, und ich habe es tatsächlich geschafft, die Woche ohne größere Katastrophen zu überstehen. Zumindest keine, die die Geigers mitbekommen haben.

Da wäre die Gemüserisotto-Katastrophe vom Dienstag – aber Gott sei Dank ist es mir gelungen, mir in letzter Minute was vom Italiener schicken zu lassen. Dann das pfirsichfarbene Negligé, das ich rückblickend doch mit einer etwas milderen Temperatur hätte bügeln sollen. Und die Dartington-Vase, die mir beim Saugen mit dem speziellen Aufsatz zu Bruch gegangen ist. Zum Glück hat sie bis jetzt noch niemand vermisst. Und die neue soll morgen geliefert werden.

Bis jetzt hat mich diese Woche nur zweihundert Pfund gekostet, was eine enorme Verbesserung im Vergleich zur letzten Woche darstellt. Nicht lange und ich werde vielleicht sogar in die Gewinnzone schlittern.

Ich bin gerade dabei, mit spitzen Fingern und abgewandtem

Blick Eddies nasse Unterwäsche aufzuhängen, als ich von Trish gerufen werde.

»Samantha! Wo *sind* Sie?« Sie klingt nicht gerade gut gelaunt, und ich beginne innerlich zu zittern. Was hat sie rausgekriegt? »Ich *kann* Sie einfach nicht mehr so herumlaufen lassen.« Trish taucht in der Wäschekammer auf und schüttelt energisch den Kopf.

»Wie bitte?«

»Ihre *Haare*.« Sie verzieht das Gesicht.

»Ach so.« Ich berühre die ausgebleichte Strähne und verziehe ebenfalls das Gesicht. »Ich wollte das am Wochenende eigentlich machen lassen –«

»Sie werden es *jetzt* machen lassen«, unterbricht sie mich. »Meine *Super*-Friseurin ist nämlich gerade da.«

»Jetzt?« Ich starre sie fassungslos an. »Aber ... ich muss noch saugen ... und ...«

»Ich kann nicht dulden, dass Sie weiter so rumlaufen. Sie können die Stunden später wieder aufholen. Und ich werde Ihnen die Kosten von Ihrem Gehalt abziehen. Jetzt kommen Sie schon. Annabelle wartet bereits!«

Mir bleibt wohl keine andere Wahl. Ich lasse den Rest von Eddies Unterwäsche auf den Wäscheständer plumpsen und folge ihr nach oben in den ersten Stock.

»Also, ich wollte noch mit Ihnen über meine Kaschmir-Strickjacke reden«, sagt Trish streng, während wir die Treppe hochgehen. »Die beigefarbene, wissen Sie?«

O Mist. Sie hat rausgekriegt, dass ich sie ersetzt habe. Natürlich hat sie das. So dumm ist sie nun auch wieder nicht –

»Ich weiß nicht, was Sie damit gemacht haben.« Trish bläst eine Rauchwolke von sich und stößt die Schlafzimmertür auf. »Aber sie sieht einfach fa-bel-haft aus. Sogar der kleine Tintenfleck am Bündchen ist verschwunden! Sieht wie neu aus!«

Ich grinse erleichtert. »Tja ... gehört alles zum Service!«

Ich folge Trish ins Schlafzimmer, wo uns bereits eine Frau mit hochtoupierter blonder Betonfrisur, weißer Jeans und Goldgürtel erwartet. Sie hat einen Stuhl in die Mitte des Zimmers gerückt.

»Hallo!« Sie blickt auf, Zigarette in der Hand. Erst jetzt sehe ich, dass sie ungefähr sechzig sein muss. »Samantha! Ich habe *alles* über Sie gehört!«

Sie hat eine heisere Raucherstimme und um ihren Mund sind tiefe Fältchen vom ständigen Ziehen an Zigaretten. Ihr Make-up sieht aus, als wäre es aufgeschweißt. So müsste Trish in fünfzehn Jahren aussehen. Sie tritt auf mich zu, begutachtet meine Haare und verzieht das Gesicht.

»Was ist das denn? Sie dachten wohl, Sie probieren's mit dem Strähnchen-Look?« Sie stößt ein heiseres Lachen aus.

»Das war … ein Unfall. Mit dem Bleichmittel.«

»Ein Unfall!« Mit einem missbilligenden Zungenschnalzen fährt sie mir durch die Haare. »Tja, so kann es nicht bleiben. Die Farbe ist scheußlich. Wir versuchen es mit einem netten Blondton. Sie haben doch nichts dagegen, es mal mit blond zu versuchen, Schätzchen?«

Blond?

»Ich war noch nie blond«, stottere ich alarmiert. »Ich weiß nicht, ob –«

»Sie haben den Teint dafür.« Sie bürstet mein Haar aus.

»Na ja, so lange es nicht *zu* blond wird«, sage ich hastig. »Nicht … Sie wissen schon, dieses künstliche, prollige Wasserstoffblond …«

Meine Stimme erstirbt, als mir klar wird, dass beide Frauen genau dieses künstliche, prollige wasserstoffblonde Haar haben.

»Oder … äh … was immer Sie meinen …« Ich schlucke und wage es nicht aufzublicken.

Ich lasse mich auf den Stuhl plumpsen, lege mir ein Handtuch um und versuche, nicht allzu sehr zusammenzuzucken, als

Annabelle anfängt, mir eine Paste auf die Haare zu klatschen und dazu jede Menge Alufolie.

Blond. Gelbe Haare. Barbiehaare.

O Gott. Was mache ich bloß?

»Ich fürchte, das ist ein Fehler«, sage ich abrupt und versuche aufzustehen. »Blond steht mir nicht. Ich –«

»*Relaaaxen*!«, trillert Annabelle und drückt mich mit eisernem Griff auf den Stuhl zurück. Anschließend bekomme ich eine Zeitschrift verpasst. Trish lässt irgendwo hinter mir einen Champagnerkorken knallen. »Sie sind doch so hübsch. Ein hübsches Mädchen wie Sie muss doch was aus seinen Haaren machen. So, jetzt lesen Sie uns mal vor, was uns diese Woche erwartet.«

»Wie?« Ich bin vollkommen verwirrt.

»Na, das Horoskop!« Annabelle schnalzt missbilligend mit der Zunge. »Ist nicht gerade die Hellste, nicht?«, flüstert sie Trish zu.

»Ein bisschen schwer von Begriff, stimmt«, murmelt Trish diskret, »aber ein wahrer *Schatz* mit der Wäsche!«

So ist es also, wenn man reich ist und nichts zu tun hat. Man sitzt mit Alufolie in den Haaren herum, schlürft Buck's Fizz und liest Hochglanzmagazine. Ich habe eigentlich nie eine Zeitschrift gelesen – vom *Lawyer* einmal abgesehen. Normalerweise verbringe ich einen Friseurtermin mit dem Schreiben von E-Mails oder ich korrigiere irgendwelche Verträge.

So richtig entspannen kann ich mich aber bei der Zeitschriftenlektüre nicht. Meine Besorgnis wächst, während ich einen Artikel mit der Überschrift »Zehn Tipps, wie Sie erkennen, dass Ihr Bikini zu eng ist« lese. Als ich schließlich bei »Wahre Ferienromanzen« angekommen bin und Annabelle mir die Haare föhnt, bin ich das reinste Nervenbündel.

Ich kann nicht blond sein. Das passt nicht zu mir.

»So, das wär's!« Annabelle pustet mir ein letztes Mal über die Haare und knipst dann den Föhn aus. Stille. Ich wage es nicht, die Augen aufzuschlagen.

»*Viel* besser!«, sagt Trish lobend.

Ich öffne vorsichtig ein Auge. Dann das andere.

Meine Haare sind nicht blond.

Sie sind karamellbraun. Ein warmes Karamell, mit honigfarbenen und sogar ein paar goldenen Strähnchen. Wenn ich meinen Kopf bewege, dann *schimmern* meine Haare.

Ich muss schlucken. Mehrmals. Und gegen jäh aufsteigende Tränen ankämpfen.

»Sie wollten mir nicht glauben, stimmt's?« Annabelle schaut mich im Spiegel an, die Brauen hochgezogen. Ein zufriedenes Lächeln umspielt ihre Lippen. »Haben geglaubt, ich wüsste nicht, was ich tue.«

Beschämt muss ich mir eingestehen, dass sie meine Gedanken exakt erraten hat.

»Es ist einfach umwerfend«, sage ich, als ich endlich etwas herausbringe. »Ich … ich danke Ihnen vielmals.«

Ich bin ganz verliebt in mein Spiegelbild. Ich kann die Augen nicht von meiner neuen, karamellblonden, honigblonden Erscheinung abwenden. Ich sehe so *lebendig* aus. Mein Gott, was war ich für ein farbloses, graues Entlein.

Ich werde nie, nie wieder zu meinem alten, grauen Ich zurückkehren.

Das Glücksgefühl hält an. Auch als ich runtergehe und den Staubsauger anwerfe, um das Wohnzimmer zu saugen. Alles, woran ich denken kann, sind meine neuen Haare, mein neuer Look. Bei jeder glänzenden Oberfläche halte ich kurz inne, um mich zu bewundern. Und um mein Haar zurückzuwerfen.

Unter dem Teppichsaum saugen. Haare zurückwerfen. *Flick.* Unter dem Kaffeetisch saugen. Haare zurück. *Flick, flick.*

Ich bin nie auch nur auf den Gedanken gekommen, mir die Haare färben zu lassen. Allmählich frage ich mich, was mir sonst noch entgangen sein könnte …

»Ach, Samantha.« Ich blicke auf. Eddie ist hereingekommen. In Anzug und Krawatte. »Ich habe ein Meeting mit ein paar Herren im Esszimmer. Wenn Sie bitte Kaffee für uns machen würden.«

»Jawohl, Sir.« Ich knickse. »Für wie viele Personen?«

»Insgesamt vier. Und ein paar Kekse dazu. Irgendwas. Bitte bringen Sie es dann rein.«

»Sehr wohl.«

Er sieht ganz rot und aufgeregt aus. Ich frage mich, worum es in dem Meeting wohl geht. Auf dem Weg zur Küche werfe ich einen neugierigen Blick in die Auffahrt. Dort steht ein mir unbekannter Mercedes der S-Klasse, daneben ein BMW-Kabrio.

Hmm. Also wohl nicht der Dorfpfarrer.

Ich mache eine Kanne Kaffee, stelle alles auf ein Tablett, dazu noch ein paar Kekse und einige Muffins, die ich zum Tee gekauft hatte, und mache mich auf den Weg zum Esszimmer. Ich klopfe höflich.

»Herein!«

Ich stoße die Tür auf und sehe Eddie mit drei Männern am Esstisch sitzen, vor sich einen Haufen Papiere.

»Ihr Kaffee«, murmle ich bescheiden.

»Danke, Samantha.« Eddies Wangen glühen. »Würden Sie bitte servieren?«

Ich stelle das Tablett auf einem Sideboard ab und teile die Tassen aus. Während ich das tue, werfe ich einen Blick auf die Papiere, ich kann einfach nicht anders.

Es sind Verträge.

»Äh … mit Milch oder schwarz?«, frage ich den ersten Mann.

»Mit Milch, bitte.« Er blickt nicht einmal auf. Während ich Kaffee einschenke, riskiere ich noch einen Blick. Sieht aus wie eine Immobiliensache. Will Eddie sein Geld in Immobilien stecken?

»Keks?«, offeriere ich.

»Danke, bin schon süß genug.« Der Mann entblößt grinsend seine Zähne, und ich lächle höflich zurück. Was für ein Idiot.

»Also, Eddie. Sie verstehen, worum es in dem Punkt geht?«, sagt ein Mann mit roter Krawatte mit öliger, besorgter Stimme. »Ist eigentlich ziemlich klar, wenn man sich mal durchs Juristenlatein durchgearbeitet hat.«

Was ich da höre, kommt mir irgendwie bekannt vor. Nicht, dass ich den Mann kenne – aber ich kenne diese Sorte. Habe sieben Jahre lange für solche Leute gearbeitet. Und ich weiß instinktiv, dass es den Mann nicht die Bohne kümmert, ob Eddie versteht oder nicht.

»Ja!« Eddie stößt ein gutmütiges Lachen aus. »Ja. Ja, das ist es wohl.« Er wirft einen unsicheren Blick in den Vertrag und legt ihn dann auf den Tisch.

»Eine anständige Absicherung liegt uns ebenso sehr am Herzen wie Ihnen«, sagt der Mann mit der roten Krawatte und lächelt.

»Wem nicht, wenn's um Geld geht?«, wirft der erste grinsend ein.

Okay. Was wird hier gespielt?

Als ich zu dem nächsten Mann trete, um ihm Kaffee einzuschenken, liegt der Vertrag gut sichtbar vor mir, und ich überfliege ihn mit geübter Schnelligkeit. Es geht um eine Partnerschaft für eine Grundstückserschließung. Beide Seiten investieren Geld ... urbane Entwicklung ... blabla ... alles so weit in Ordnung ...

Dann sehe ich etwas, das mich vor Schreck erstarren lässt.

Da steht es, ganz unten, eine harmlos aussehende kleine Klausel, eine Zeile nur. Und in dieser Zeile verpflichtet sich Eddie, die Haftung zu übernehmen. Er ganz allein. Die Partner sind, so weit ich sehen kann, vollkommen außen vor.

Wenn also was schief geht, muss Eddie den Kopf hinhalten. *Weiß* er das?

Ich bin total schockiert. Ich muss all meine Willenskraft aufbieten, um nicht nach diesem Vertrag zu greifen und ihn in tausend Fetzen zu reißen. Bei Carter Spink wären diese Männer nach zwei Minuten hochkant rausgeflogen. Ich würde nicht nur ihren Vertrag zum Fenster rauswerfen, ich würde meinem Klienten empfehlen –

»Samantha?« Mit einem Ruck finde ich in die Realität zurück und merke, dass Eddie mich stirnrunzelnd anblickt. Er deutet auf den Keksteller.

Ich bin nicht bei Carter Spink. Ich laufe hier als Haushälterin herum und serviere Erfrischungen.

»Schokoladenkeks gefällig?« Es gelingt mir, dies einigermaßen höflich zu sagen, während ich dem dunkelhaarigen Kerl den Teller hinhalte. »Oder ein Muffin?«

Er nimmt sich eins, ohne mich auch nur anzusehen oder sich zu bedanken. Dann ist Eddie dran. Meine Gedanken rasen. Ich muss ihn irgendwie warnen.

»Also. Genug geredet. Jetzt kann das Abenteuer beginnen.« Der Mann mit der roten Krawatte schraubt einen gediegen aussehenden Füllfederhalter auf. »Nach Ihnen.« Er reicht ihn Eddie.

Er will unterzeichnen? *Jetzt gleich?*

Nein. Nein. Er darf diesen Vertrag nicht unterschreiben.

»Lassen Sie sich ruhig Zeit«, fügt der Mann mit einem öligen Lächeln hinzu. »Wenn Sie es sich noch mal durchlesen wollen …«

Plötzlich keimt Wut in mir auf, Wut auf diese aalglatten

Kerle, in ihren protzigen Autos, den roten Krawatten, den ein-schmeichelnden Stimmen. Die werden meinen Boss nicht ab-zocken. Das werde ich nicht zulassen. Als Eddies Füller das Pa-pier berührt, beuge ich mich vor.

»Mr. Geiger«, sage ich beschwörend. »Dürfte ich Sie kurz sprechen? Unter vier Augen?«

Eddie blickt gereizt auf.

»Samantha«, sagt er belustigt, »ich bin gerade mitten in ei-ner wichtigen Geschäftsverhandlung. Wichtig für mich jeden-falls!« Er wirft einen Blick in die Runde, und die drei Männer lachen folgsam.

»Es ist wirklich dringend«, beharre ich. »Nur ganz kurz.«

»Samantha –«

»Bitte, Mr. Geiger. Ich *muss* mit Ihnen reden.«

Eddie stößt einen ungeduldigen Seufzer aus und legt endlich den Füller beiseite.

»Also gut.« Er stemmt sich hoch, scheucht mich aus dem Zimmer und fragt, kaum dass wir draußen sind: »Worum geht's?«

Ich starre ihn blöde an. Jetzt, wo ich ihn da raus habe, weiß ich nicht, wie ich das Thema zur Sprache bringen soll. Was soll ich sagen?

Mr. Geiger, ich würde Ihnen empfehlen, sich Paragraph 14 noch einmal gründlich anzusehen.

Mr. Geiger, ist Ihnen klar, dass Sie die alleinige Haftung über-nehmen?

Unmöglich. So etwas kann ich nicht sagen. Wer nimmt schon juristische Ratschläge von seiner Haushälterin an?

Seine Hand liegt auf dem Türknauf. Das ist meine letzte Chance.

»Nehmen Sie Zucker?«, platzt es aus mir heraus.

»*Was*?« Eddie glotzt mich mit offenem Mund an.

»Es war mir entfallen«, murmle ich. »Und ich wollte die Fra-